Saucen

www.komet-verlag.de
Covermotiv: © FoodFoto Köln/StockFood
Gesamtherstellung: KOMET Verlag GmbH, Köln
ISBN 978-3-89836-724-0

Saucen

KOMET

Inhalt

Die Sauce –

A und O jeder Mahlzeit

Wann genau die erste Sauce zu einem Gericht serviert wurde, lässt sich nicht genau sagen, doch dass bereits Naturvölker ihr gegrilltes oder geröstetes Fleisch nicht pur zu sich nahmen, sondern eine Würzmischung dazu reichten, ist gesichert. Sie fanden mit der Zeit heraus, welche Gewürze am besten zu welchem Fleisch, Fisch oder welcher Gemüseart passten und bald gaben sie Wasser oder Öl dazu. Über die Jahre wurde diese Kunst immer mehr kultiviert. Eine Sauce ist daher nichts anderes als eine Gewürzmischung, die verflüssigt wurde.

Auch im Altertum waren Saucen beliebt und geschätzt. Nach der Überlieferung gab es bereits vor 2000 Jahren in Pompeji eine „Saucenfabrik", deren beliebteste Sauce Garum war, eine Mischung aus verschiedenen Gewürzen und Fisch. Je nach Fleisch- und Fischsorte wurde sie variiert.

Durch die Jahrhunderte hindurch lässt sich die Geschichte der Sauce verfolgen bis in die Neuzeit. Alle Köche, die etwas auf sich hielten, kreierten die feinsten Saucen zu den verschiedenen Gerichten, oftmals gab es zu einem Gericht mehrere Saucen. Diese Tradition zieht sich durch ganz Europa.

Nicht von ungefähr kennen wir heute Saucen, die mit aller Finesse und den ausgewähltesten Zutaten zubereitet sind. Doch ganz gleich, wie erlesen die Zutaten einer Sauce auch sind: Grundlage ist ein aromatischer Fond, der entweder aus Knochen, Gemüse, verschiedenen Gewürzen und Wasser gekocht wird.

Eine eher einfache Sauce ist die klassische Mehlschwitze, die zwar „dick aufträgt", geschmacklich aber eher uninteressant ist. Sie wurde in der einfachen Küche als Sauce zu Gemüse zubereitet.

Andere berühmte Saucenklassiker wie Sauce Hollandaise, Sauce Béarnaise oder Sauce Béchamel, die aus Butter, Milch, Eiern und Gewürzen gerührt werden, sind nicht mehr wegzudenken aus unseren Kochtöpfen und bilden die Grundlage vieler Saucenvariationen.

In diesem Buch haben wir Saucen zusammengetragen, die Abwechslung und Pfiff in Ihre Küche bringen werden, von würzigen Salatsaucen und -dressings über zum Teil ausgefallene Saucen zu Pastagerichten, Gemüse, Fleisch und Fisch bis hin zu süßen Dessertsaucen.

Die Saucenrezepte sind jeweils für 4 Portionen berechnet, das heißt, bei einer Salatsauce beziehen sich die Angaben etwa auf 100 bis 150 ml, bei den übrigen Saucen auf etwa 250 bis 350 ml. Die angegebene Kalorienzahl und die Nährwerte beziehen sich auf eine Portion.
Viel Spaß beim Nachkochen!

Grundsaucen

Helle Grundsauce

5 l Geflügelfond

je 200 g Möhren, Lauch, Zwiebeln, Knollensellerie

50 g Butter

6 El Mehl

500 ml Sahne

Salz, Pfeffer

1 Prise gemahlene Muskatnuss

Zubereitungszeit ca. 45 Minuten
Pro Portion ca. 708 kcal/2972 kJ
21 g E, 64 g F, 15 g KH

1. Den Fond in einem Topf erwärmen. Das Gemüse putzen, waschen, ggf. schälen und in den Fond geben. Aufkochen und auf etwa 1 Liter einkochen.
2. Butter erhitzen und mit dem Mehl eine Mehlschwitze herstellen. Mit Fond auffüllen und unter Rühren aufkochen.
3. Sauce durch ein Sieb streichen und die Sahne unterziehen. Mit den Gewürzen abschmecken.

Tomatensauce

200 g gewürfelter durchwachsener Speck

je 200 g zerkleinerte Möhren, Lauch, Zwiebeln, Knollensellerie

600 g Tomatenmark

500 g geschälte und gewürfelte Tomaten

5 l Gemüsebrühe

2 gehackte Knoblauchzehen

1/2 Bund gehackter Thymian

50 g Butter

6 El Mehl,

Salz, Pfeffer

Paprikapulver

Zubereitungszeit ca. 45 Minuten
Pro Portion ca. 725 kcal/3045 kJ
30 g E, 21 g F, 102 g KH

1. Den Speck in einem Topf auslassen und das Gemüse darin andünsten. Tomatenmark und Tomaten zugeben und mit Brühe auffüllen.
2. Knoblauch und Thymian hinzufügen und alles auf etwa 1 Liter einkochen. Fond durch ein Sieb streichen.
3. Butter schmelzen und mit dem Mehl eine Mehlschwitze herstellen. Fond unter Rühren angießen und 5 Minuten köcheln. Mit den Gewürzen abschmecken.

Braune Grundsauce

4 kg Kalbsknochen

je 200 g zerkleinerte Möhren, Lauch, Knollensellerie und Zwiebeln

4 zerdrückte Knoblauchzehen

200 g Tomatenmark

1/2 Bund gehackter Thymian

2 Lorbeerblätter

500 ml Rotwein

50 g Butter

6 El Mehl

Salz, Pfeffer

Paprikapulver

Zubereitungszeit ca. 45 Minuten
Pro Portion ca. 293 kcal/1229 kJ
6 g E, 11 g F, 21 g KH

1. Kalbsknochen, Gemüse, Knoblauchzehen und Tomatenmark in einen Topf mit 4,5 Litern Wasser geben.
2. Thymian, Lorbeerblätter und Rotwein zufügen und alles auf etwa 1 Liter einkochen lassen. Fond durch ein Sieb streichen.
3. Butter schmelzen und mit dem Mehl eine Mehlschwitze herstellen. Fond unter Rühren zugießen und etwa 5 Minuten köcheln. Mit den Gewürzen abschmecken.

Sauce Béarnaise

5 El trockener Weißwein
5 El Weißweinessig
2 gehackte Schalotten
4 El gehackter Estragon
10 zerdrückte Pfefferkörner
4 Eigelb
250 g kalte Butter
Salz
weißer Pfeffer
Cayennepfeffer

Zubereitungszeit ca. 25 Minuten
Pro Portion ca. 560 kcal/2352 kJ
5 g E, 60 g F, 3 g KH

1. Weißwein und Essig in einem Topf aufkochen, Schalotten und Kräuter dazugeben und alles um ein Drittel einkochen lassen.
2. Durch ein Sieb in eine Metallschüssel füllen und die Eigelbe unterziehen. Die Schüssel im Wasserbad langsam erhitzen und nach und nach die kalte Butter einrühren, bis die Sauce cremig wird. Nicht kochen!
3. Die Sauce mit Salz, Pfeffer und Cayenne abschmecken.

Sauce Béchamel

30 g Butter
30 g Mehl
1/2 l Milch
1 geschälte Zwiebel
1 Lorbeerblatt
3 Nelken
Salz
weißer Pfeffer
5 El Sahne
geriebene Muskatnuss

Zubereitungszeit ca. 25 Minuten
Pro Portion ca. 179 kcal/750 kJ
5 g E, 11 g F, 14 g KH

1. Die Butter erhitzen. Das Mehl in die heiße Butter rühren und in 2–3 Minuten anschwitzen. Milch unter Rühren zugießen und aufkochen lassen.
2. Zwiebel mit Lorbeerblatt und Nelken spicken, in die Sauce geben. Sauce salzen und pfeffern und etwa 15 Minuten köcheln lassen. Die Zwiebel aus der Sauce nehmen.
3. Die Béchamelsauce mit Salz, Pfeffer und Sahne verfeinern und mit Muskatnuss abschmecken.

Sauce Hollandaise

50 ml Weißwein
1/2 El zerdrückte Pfefferkörner
4 Eigelb
200 g geklärte Butter
Salz
Zitronensaft

Zubereitungszeit ca. 20 Minuten
Pro Portion ca. 458 kcal/1922 kJ
4 g E, 49 g F, 1 g KH

1. Den Weißwein und die Pfefferkörner mit 4 El Wasser in einem Topf erhitzen und etwa um ein Drittel einkochen. Durch ein Sieb in eine feuerfeste Metallschüssel gießen. Abkühlen lassen.
2. Die Schüssel ins köchelnde Wasserbad stellen und die Eigelbe schaumig rühren. Vorsicht, dass sie nicht gerinnen!
3. Die geklärte Butter unter Rühren zufügen, bis die Sauce sämig wird. Mit Salz und Zitronensaft abschmecken.

Rote Buttersauce

2 El Zucker
2 rote Zwiebeln in Streifen geschnitten
250 ml Rotwein
1 Zweig Thymian
200 ml Portwein
100 g kalte Butter in Würfeln
Salz
Pfeffer

Zubereitungszeit ca. 25 Minuten
Pro Portion ca. 330 kcal/1386 kJ
1 g E, 21 g F, 12 g KH

1. Den Zucker in einem Topf karamellisieren, dann die Zwiebeln darin glasieren. Rotwein zugießen und alles um die Hälfte einkochen lassen.
2. Thymianzweig und Portwein zur Sauce geben und auf 150 ml einkochen. Die Sauce durch ein Sieb streichen, zurück in den Topf geben und die Butterwürfel unterrühren.
3. Die Sauce mit Salz und Pfeffer abschmecken.

Weiße Buttersauce

2 gewürfelte Schalotten
2 El Butter
1 El Weinessig
200 ml Weißwein
150 g kalte Butter in Würfeln
Salz
Pfeffer
2 El steif geschlagene Sahne

Zubereitungszeit ca. 20 Minuten
Pro Portion ca. 365 kcal/1533 kJ
1 g E, 36 g F, 3 g KH

1. Die Schalotte in der heißen Butter andünsten. Essig und Wein angießen und alles um die Hälfte einkochen.
2. Die Sauce durch ein Sieb zurück in den Topf streichen und die kalte Butter nach und nach einrühren.
3. Die Sauce mit Salz und Pfeffer abschmecken und die Sahne unterheben.

Mayonnaise

2 Eigelb
Salz
1/2 Tl mittelscharfer Senf
250 ml Pflanzenöl
weißer Pfeffer
1–2 Tl Zitronensaft

Zubereitungszeit ca. 20 Minuten
Pro Portion ca. 593 kcal/2489 kJ
2 g E, 66 g F, 1 g KH

1. Die Eigelb mit Salz und Senf in einer Schüssel leicht verrühren und etwa 1 Minute stehen lassen.
2. Das Öl tropfenweise zufügen und mit dem Handrührgerät oder mit dem Schneebesen einrühren. Allmählich kräftiger rühren und immer so viel Öl zugießen, wie die Eigelbmasse aufnimmt. Die Masse cremig rühren.
3. Die Mayonnaise mit Pfeffer und Zitronensaft abschmecken, eventuell nachsalzen.

Salatsaucen

Einfache Salatsauce

1 Zwiebel
2–3 El Obst- oder Weinessig
3 El Sonnenblumenöl
Salz
Pfeffer

Pro Portion ca. 86 kcal/362 kJ
1 g E, 9 g F, 1 g KH

1. Die Zwiebel schälen und fein hacken.
2. Die Zwiebel mit Essig und Öl mischen und mit Salz und Pfeffer abschmecken. Passt zu Blattsalaten.

Variation 1

Die Salatsauce mit 1 zerdrückten Knoblauchzehe, 2 El gehackten gemischten Kräutern und 1 Tl Dijonsenf verrühren. Passt zu gemischtem Salat.

Pro Portion ca. 89 kcal/375 kJ
1 g E, 9 g F, 2 g KH

Variation 2

Die Salatsauce mit Balsamessig und Olivenöl zubereiten. Passt zu Tomatensalat und Carpaccio.

Pro Portion ca. 86 kcal/363 kJ
1 g E, 9 g F, 2 g KH

Variation 3

Die Salatsauce mit 2 El Rotweinessig, 1 Tl Zitronensaft und 1 Tl Sherry zubereiten und mit 1 El gehacktem Dill anreichern. Passt zu Spargelsalat.

Pro Portion ca. 90 kcal/379 kJ
1 g E, 9 g F, 2 g KH

Variation 4

Die Salatsauce mit 3 El Weißweinessig und 4 El Chiliöl zubereiten und mit 1–2 El gehacktem frischem Koriander verrühren. Passt zu Gemüse- und Reissalat.

Pro Portion ca. 100 kcal/419 kJ
1 g E, 10 g F, 3 g KH

Zitronen-Käse-Dressing

1 Knoblauchzehe

2 El Zitronensaft

1 Tl abgeriebene Schale von 1 unbehandelten Zitrone

1 El gehackte Petersilie

1 Tl Weißweinessig

1 El geriebener Gruyère

Salz

schwarzer Pfeffer

150 ml kalt gepresstes Olivenöl

Pro Portion ca. 340 kcal/1428 kJ
0 g E · 37 g F · 1,5 g KH

Knoblauchzehen schälen und fein hacken und mit den anderen Zutaten mischen. Zuletzt das Olivenöl tropfenweise dazurühren, bis die Sauce eine cremige Konsistenz hat. Passt zu Nudelsalaten.

Vinaigrette mit Kürbisöl

2 El Rotweinessig
2 El Apfelessig
2 Tl Apfeldicksaft
2 Tl kaltgepresstes Kürbiskernöl
4 El kaltgepresstes Sonnenblumenöl
abgeriebene Schale von 1 unbehandelten Zitrone
weißer Pfeffer

Pro Portion ca. 128 kcal/537 kJ
0 g E, 13 g F, 1 g KH

Die Essigsorten mischen und mit Apfeldicksaft, Kürbiskern- und Sonnenblumenöl gut verrühren. Zitronenschale dazugeben und mit Pfeffer abschmecken. Passt zu Chinakohl.

Vinaigrette mit Pesto

6 El Apfelessig
4 Tl Pesto
150 ml Olivenöl
Salz
schwarzer Pfeffer

Pro Portion ca. 335 kcal/1407 kJ
0 g E, 37 g F, 0 g KH

Essig und Pesto in einer Schüssel verrühren. Langsam das Öl unterrühren, bis sich die Zutaten miteinander verbunden haben. Die Vinaigrette mit Salz und Pfeffer abschmecken. Eventuell noch etwas Essig zugeben. Passt zu Nudel-, Gemüse-, Rindfleisch- und Geflügelsalaten.

Joghurt-Orangen-Dressing

100 g Naturjoghurt
100 ml Schlagsahne
Saft von 1 Orange
Salz
schwarzer Pfeffer

Pro Portion ca. 108 kcal/455 kJ
2 g E, 8 g F, 6 g KH

Joghurt, Sahne und Orangensaft in einer Schüssel miteinander verrühren. Mit Salz und Pfeffer abschmecken. Passt zu Blatt-, Reis- und Nudelsalaten.

Sherry-Dressing

3 El Sherryessig
2 El trockener Sherry
1 Tl Kräutersenf
1 Prise Zucker
1/4 Tl Salz
1 Prise Cayennepfeffer
weißer Pfeffer
5 El Traubenkernöl

Pro Portion ca. 45 kcal/189 kJ
0 g E, 4 g F, 1 g KH

Sherryessig, Sherry, Senf, Zucker, Salz und Pfeffer gut miteinander verrühren, bis der Zucker sich aufgelöst hat. Dann nach und nach das Öl einfließen lassen und rühren, bis eine cremige Sauce entstanden ist. Passt zu Blattsalaten.

Tomaten-Dressing

2 getrocknete Tomaten in Öl
1 Knoblauchzehe
1 El Kapern
6 schwarze Oliven ohne Stein
2 El Aceto balsamico
75 ml kalt gepresstes Olivenöl
1 Prise Zucker
schwarzer Pfeffer

Pro Portion ca. 255 kcal/1071 kJ
1 g E, 27 g F, 3 g KH

Tomaten, geschälte Knoblauchzehe, Kapern und Oliven im Mixer zerkleinern. Aceto und Öl zugeben und zu einer glatten Paste verrühren. Mit Zucker und Pfeffer abschmecken. Passt zu Blatt- und Gemüsesalaten.

Orangen-Dressing

100 g Naturjoghurt
2 El Sojasauce
Saft von 1/2 Orange
1 Tl Tomatenmark
1/2 Tl Currypulver
Salz
weißer Pfeffer

Pro Portion ca. 26 kcal/109 kJ
1 g E, 1 g F, 2 g KH

Joghurt mit Sojasauce, Orangensaft und Tomatenmark vermischen und mit Curry, Salz und Pfeffer abschmecken. Passt zu gemischten Salaten mit Früchten und Gemüse.

Birnen-Dressing

4 El Birnensaft
1 Tl körniger Senf
1/2 zerdrückte Knoblauchzehe
1 El Weißweinessig
3 El kaltgepresstes Olivenöl
1 El gehackter Schnittlauch

Pro Portion ca. 87 kcal/364 kJ
0 g E, 9 g F, 1 g KH

Birnensaft mit Senf, Knoblauch und Essig verrühren und das Olivenöl kräftig unterschlagen, bis die Sauce cremig wird. Die Schnittlauchröllchen unterrühren. Passt zu Rohkost- und Blattsalaten.

Melonensaft-Wein-Dressing

50 ml Melonensaft
1 El Honig
2 El Tomatenmark
80 ml Weißwein
Salz
weißer Pfeffer
5 Tropfen Tabasco
2 El Sonnenblumenöl

Pro Portion ca. 52 kcal/218 kJ
0 g E, 2 g F, 4 g KH

Melonensaft mit Honig und Tomatenmark verrühren, den Weißwein dazugeben und mit Salz, Pfeffer und Tabasco würzen. Zuletzt das Öl hinzufügen. Passt zu Blattsalaten mit Obst und Geflügelfleisch.

Mango-Dressing

1 reife Mango
Saft von 1 Zitrone
1 El Dijonsenf
1/8 Tl Chilipulver
2 El gehackter frischer Schnittlauch
Salz
schwarzer Pfeffer

Pro Portion ca. 28 kcal/116 kJ
0 g E, 0 g F, 5 g KH

Die Mango schälen, den Kern entfernen und das Fruchtfleisch mit dem Zitronensaft pürieren. Das Püree durch ein Sieb streichen, um die Mangofasern zu entfernen. Mangopüree mit den restlichen Zutaten mischen. Hält sich etwa 1 Woche im Kühlschrank. Passt zu Blattsalaten.

Johannisbeer-Dressing

150 g saure Sahne
150 g Naturjoghurt
50 g Curryketchup
1 El Johannisbeergelee
1 Prise Paprikapulver
1 Prise Cayennepfeffer
4 El Obstessig
Salz
schwarzer Pfeffer

Pro Portion ca. 93 kcal/392 kJ
3 g E, 5 g F, 7 g KH

Saure Sahne, Joghurt, Curryketchup und Johannisbeergelee verrühren, mit Paprikapulver, Cayennepfeffer, Essig, Salz und Pfeffer abschmecken. Passt zu Nudel- und Reissalaten.

Knoblauchsauce

2 Knoblauchzehen
100 g Mayonnaise
4 El Sahne
2 El saure Sahne
Salz

Pro Portion ca. 219 kcal/920 kJ
1 g E, 24 g F, 1 g KH

Knoblauchzehen schälen und durchdrücken. Knoblauch mit Mayonnaise, süßer und saurer Sahne verrühren und mit Salz abschmecken. Passt zu Geflügel- und Fischsalaten.

Limetten-Honig-Dressing

1 Limette
2 Tl körniger Senf
1/2 Tl flüssiger Honig
1/2 Bund gehacktes frisches Basilikum
6 El kalt gepresstes Sonnenblumenöl
Salz, Pfeffer

Pro Portion ca. 179 kcal/751 kJ
0 g E, 19 g F, 1 g KH

Die Limette auspressen und den Saft mit den übrigen Zutaten vermischen. Kräftig schlagen, bis die Sauce cremig ist. Passt zu Meeresfrüchtesalaten.

Apfel-Dressing mit Orange

1 Tl Apfeldicksaft
2 El Aceto balsamico
2 El Orangensaft
4 El Olivenöl
Salz
schwarzer Pfeffer

Pro Portion ca. 109 kcal/458 kJ
9 g E, 12 g F, 1 g KH

Apfeldicksaft mit Aceto und Orangensaft verrühren und mit Salz und Pfeffer abschmecken. Das Öl nach und nach mit einem Schneebesen einrühren, bis eine homogene Sauce entstanden ist. Passt zu Blatt- und Wildkräutersalaten.

Pfefferminzsauce

100 ml Sahne
Saft von 1 Zitrone
10 frische Pfefferminzblätter
2 El Ricotta
Salz
weißer Pfeffer

Pro Portion ca. 88 kcal/369 kJ
2 g E, 8 g F, 2 g KH

Sahne und Zitronensaft schaumig rühren. Die Pfefferminzblätter waschen, trocknen und fein hacken. Mit Ricotta unter die Sahne heben, glatt rühren und die Sauce mit Salz und Pfeffer abschmecken. Passt zu Nudel- oder Eisbergsalat.

Kräutersauce mit Kapern

150 g Mayonnaise (von Seite 11)
50 ml saure Sahne
1 Tl Dijonsenf
2 El gewürfelte Gewürzgurken
2 El gehackte Kapern
2 El gehackte Petersilie
1 Tl gehackter Estragon
Salz
schwarzer Pfeffer

Pro Portion ca. 308 kcal/1292 kJ
1 g E, 33 g F, 3 g KH

Mayonnaise mit saurer Sahne, Senf und den übrigen Zutaten verrühren. Mit Salz und Pfeffer abschmecken. Passt zu kaltem Braten, Eier- und Fischsalaten und Gemüse.

Grüne Sauce

50 g gemischte Kräuter
50 g Spinat
250 g Mayonnaise (von S. 11)

Pro Portion ca. 477 kcal/2005 kJ
2 g E, 52 g F, 3 g KH

Kräuter und Spinat putzen, waschen und etwa 30 Sekunden in kochendem Wasser blanchieren. Abgießen, abschrecken und abtropfen. Fein hacken und mit der Mayonnaise verrühren. Passt zu Eier-, Gemüse-, Geflügel- und Fischsalaten.

Tomaten-Chili-Dressing

50 ml Gemüsebrühe
1 El Tomatenmark
50 ml Rotweinessig
50 ml Olivenöl
1/2 Tl Chilipulver
1 El frischer Zitronensaft
1 El gehackter Koriander

Pro Portion ca. 130 kcal/548 kJ
0 g E, 13 g F, 1 g KH

Alle Zutaten bis auf den Koriander miteinander mischen und gut verrühren. Zum Schluss den Koriander unterheben. Passt zu Salaten aus Hülsenfrüchten oder Nudelsalaten.

Ingwer-Dressing

1 Eigelb
Salz
1 Tl fein geriebener Ingwer
70 ml Olivenöl
70 ml Walnussöl
1 El grob gehackte Frühlingszwiebeln
schwarzer Pfeffer

Pro Portion ca. 330 kcal/1386 kJ
1 g E, 37 g F, 1 g KH

Eigelb mit Salz und Ingwer im Mixer verrühren. Bei laufendem Motor langsam die Öle zugießen und glatt rühren. Zuletzt die Frühlingszwiebeln zugeben und zerkleinern. Mit Pfeffer abschmecken. Passt zu Geflügel-, Fleisch- und Meeresfrüchtesalaten.

Zitronensauce mit Minze

4 El Crème fraîche
abgeriebene Schale und Saft von 1 Zitrone
1 El fein gehackte Minze
2 El Mayonnaise (von S. 11)
3 El Naturjoghurt
Salz
schwarzer Pfeffer

Pro Portion ca. 75 kcal/315 kJ
1 g E, 7 g F, 1 g KH

Alle Zutaten gut miteinander verrühren und mit Salz und Pfeffer abschmecken. Passt zu Salaten von jungem frischem Gemüse, wie z. B. Zuckerschoten und Baby-Mais.

Roquefort-Dressing

100 g Blauschimmelkäse, z.B. Roquefort
2 El saure Sahne
2 El Mayonnaise
1 El Weinessig
Salz
weißer Pfeffer
Zitronensaft

Pro Portion ca. 138 kcal/581 kJ
5 g E, 12 g F, 1 g KH

Den Käse in eine Schüssel geben und mit einer Gabel zerdrücken oder im Mixer pürieren. Sahne, Mayonnaise und Essig mit dem Käse mischen und mit Salz, Pfeffer und Zitronensaft abschmecken. Hält sich etwa 1 Woche im Kühlschrank. Passt besonders gut zu Eis-, Chinakohl- und Weißkrautsalat.

Senf-Sahne-Dressing

1/2 El Salz
1/2 El Senfpulver
1 El Zucker
1 Ei
2 El geschmolzene Butter
175 ml Sahne
1/2 Tl schwarzer Pfeffer
50 ml Sherryessig

Pro Portion ca. 72 kcal/303 kJ
2 g E, 6 g F, 2 g KH

Salz, Senfpulver, Zucker, Ei, Butter, Sahne und Pfeffer gut miteinander verrühren. Den Essig unter Rühren dazugeben. Das Dressing im Wasserbad schlagen, bis es eindickt. Abkühlen lassen. Passt zu Blattsalaten.

Nuss-Dressing

6 El Walnussöl
3 El weißer Aceto balsamico
1 Tl klarer Honig
1 Tl Dijon-Senf
1 Prise gemahlener Ingwer
Salz
schwarzer Pfeffer

Pro Portion ca. 142 kcal/596 kJ
0 g E, 15 g F , 2 g KH

Öl mit Aceto, Honig und Senf glatt rühren. Dann mit Ingwer, Salz und Pfeffer abschmecken. Passt zu Blattsalaten mit Schafs- und Ziegenkäse.

Kräuter-Dressing

100 ml Distelöl
50 ml Weißweinessig
1 El fein gehackte Petersilie
1 El fein gehackter Schnittlauch
1 El fein gehackter Dill
1 El fein gehackter Kerbel
1 El fein gehacktes Basilikum
1/4 Tl Salz
1/4 Tl Pfeffer
1 Prise Cayennepfeffer

Pro Portion ca. 229 kcal/964 kJ
0 g E, 25 g F, 1 g KH

Öl, Essig und Kräuter in einer Schüssel miteinander mischen. Mit Salz, Pfeffer und Cayennepfeffer abschmecken und etwa 12 Stunden durchziehen lassen. Zu Blatt-, Gemüse-, Nudel- und Reissalaten.

Basilikum-Dressing

2 Knoblauchzehen
1 großes Bund Basilikum
1 El weißer Aceto balsamico
6 El extra natives Olivenöl
2 El frisch geriebener Parmesan
Salz
Pfeffer

Pro Portion ca. 174 kcal/733 kJ
1 g E, 19 g F, 1 g KH

Knoblauch schälen, Basilikum waschen und trockenschütteln. Knoblauch, Basilikum, 1 Prise Salz und Aceto balsamico im Mixer zerkleinern. Während der Mixer weiter läuft, langsam das Öl dazugießen, bis es gut mit der Kräuter-Essig-Mischung verbunden ist. In eine Schüsel füllen und den Käse hineinrühren. Mit Pfeffer abschmecken. Zu Blatt- und Gemüsesalaten.

Joghurt-Dressing

150 g Naturjoghurt
3 El Schmand
Saft von 1 Zitrone
1 El gehackter frischer Schnittlauch
1 El gehackte frische Petersilie
Salz
weißer Pfeffer
Cayennepfeffer
2 El Olivenöl

Pro Portion ca. 106 kcal/445 kJ
2 g E, 10 g F, 3 g KH

Joghurt, Schmand, Zitronensaft, Öl und Kräuter miteinander mischen. Mit Salz, Pfeffer und Cayennepfeffer abschmecken. Zuletzt das Öl langsam unterrühren. Passt zu Blattsalaten.

Käse-Kräuter-Sauce

80 g Frischkäse
100 ml Buttermilch
1 Tl Zitronensaft
2 Tl gehackte gemischte Kräuter
Salz
schwarzer Pfeffer
Currypulver

Pro Portion ca. 82 kcal/345 kJ
3 g E, 6 g F, 2 g KH

Frischkäse und Buttermilch miteinander verrühren. Dann den Zitronensaft und die Kräuter hinzufügen und gut unterrühren. Mit Salz, Pfeffer und Curry pikant abschmecken. Passt zu Gemüsesalaten und Geflügel.

Rotwein-Dressing

1 El gehackte Schalotten
200 ml Rotwein
4 El Rotweinessig
1 Eigelb
1 Tl Senf
1/2 Tl Salz
schwarzer Pfeffer
100 ml Sonnenblumenöl

Pro Portion ca. 280 kcal/1176 kJ
1 g E, 27 g F, 2 g KH

Schalotten, Rotwein und Rotweinessig in einen Topf geben und auf die Hälfte einkochen lassen. Abkühlen lassen. Eigelb, Senf und Gewürze einrühren und nach und nach das Öl dazugießen. Alles zu einer cremigen Sauce verrühren. Passt zu Blatt- und Gemüsesalaten.

Erdnuss-Dressing

100 g Erdnussbutter
100 ml Naturjoghurt
1 El Sojasauce
1 Knoblauchzehe
2 El Sesamöl
2 El Weißweinessig
3 El gehackte glatte Petersilie

Pro Portion ca. 191 kcal/804 kJ
8 g E, 16 g F, 4 g KH

Die Erdnussbutter mit Joghurt, Sojasauce, der geschälten und gehackten Knoblauchzehe, Öl und Essig verrühren und die Petersilie unterheben. Gut durchziehen lassen. Passt zu Nudelsalaten.

Sesam-Dressing

3 El Sesammus (Tahin)
Saft und Schale von 1–2 unbehandelten Limonen
1 zerdrückte Knoblauchzehe
1 Prise rosenscharfes Paprikapulver
1 El gehackter Koriander
Salz
schwarzer Pfeffer

Pro Portion ca. 35 kcal/146 kJ
1 g E, 2 g F, 2 g KH

Tahin mit Limonensaft und -schale, Knoblauch und Paprikapulver mischen. Koriander unterheben und mit Salz und Pfeffer abschmecken. Passt zu Auberginensalat.

Thousand Islands

1 hart gekochtes Ei
2 El gefüllte Oliven
1/2 Zwiebel
1/2 Gewürzgurke
225 ml Mayonnaise
2 El Chilisauce oder Tomatenketchup
1 El gehackter frischer Schnittlauch
Salz
schwarzer Pfeffer
1 El Zitronensaft

Pro Portion ca. 465 kcal/1953 kJ
3 g E, 49 g F , 4 g KH

Das Ei pellen und würfeln. Die Oliven fein hacken. Zwiebel schälen, Zwiebel und Gurke hacken. Alle Zutaten mischen und gut miteinander verrühren. Die Sauce hält sich etwa 1 Woche im Kühlschrank. Sie passt besonders zu Eier- und Gemüsesalaten, aber auch zu allen anderen Salaten.

Vinaigrette

1/2 Tl Salz
1/8 Tl frisch gemahlener Pfeffer
5 El Weinessig
2 Tl Dijonsenf
175 ml Olivenöl

Pro Portion ca. 407 kcal/1711 kJ
0 g E, 44 g F, 1 g KH

Die Zutaten in einer Schüssel miteinander verrühren. Das Dressing im Kühlschrank aufbewahren. Es hält sich etwa 3 Tage. Vinaigrette passt zu allen Blattsalaten.

Thymian-Vinaigrette

4 El Aceto balsamico
6 El kalt gepresstes Olivenöl
1 El frisch gehackter Thymian
1 El frisch gehacktes Rosmarin
Salz
Pfeffer

Pro Portion ca. 162 kcal/681 kJ
0 g E, 18 g F, 0 g KH

Essig, Öl, Thymian und Rosmarin in eine Pfanne geben und unter Rühren mit dem Schneebesen langsam erwärmen. Wenn sie gut erhitzt ist, die Sauce vom Herd nehmen und mit Salz und Pfeffer abschmecken. Passt zu Tomatensalat.

Rote-Bete-Sauce

40 g Rote Bete (aus dem Glas)
1/8 l Gemüsebrühe
1 Tl Weißweinessig
Salz
weißer Pfeffer
Zucker
3 El Distelöl

Pro Portion ca. 47 kcal/199 kJ
0 g E, 4 g F, 2 g KH

Die Rote Bete fein pürieren. Mit Gemüsebrühe, Essig und den Gewürzen sowie Zucker verrühren. Zuletzt das Öl langsam dazugießen und gut untermischen. Passt zu Kartoffelsalat.

Kokos-Chili-Sauce

3 El Traubenkernöl
1–2 fein gehackte rote Chilischoten
3 fein gehackte Schalotten
1 zerdrückte Knoblauchzehe
75 ml Kokosnussmilch (aus der Dose)
Saft von 1 Limette
Salz

Pro Portion ca. 59 kcal/250 kJ
1 g E, 5 g F, 2 g KH

Das Traubenkernöl erhitzen und Chili, Schalotten und Knoblauch darin weich dünsten. Kokosnussmilch hinzufügen und erwärmen. Mit Limettensaft und Salz abschmecken. Abkühlen lassen. Passt zu Gemüse-, Reis- und Nudelsalaten.

Erdnuss-Chili-Sauce

5 El Erdnussöl
30 g Erdnusskerne
2 El helle Sojasauce
3 El weißer Aceto balsamico
1 Msp. Chilipulver
Salz
schwarzer Pfeffer

Pro Portion ca. 104 kcal/439 kJ
2 g E, 10 g F, 1 g KH

Das Erdnussöl erhitzen und die fein gehackten Erdnusskerne darin anrösten. Sojasauce dazu geben und unterrühren. Abkühlen lassen, dann mit Aceto, Chili, Salz und Pfeffer abschmecken. Passt zu Blatt- und Pilzsalaten.

Kräuter-Dressing

2 El fein gehackter Estragon
2 El fein gehackter Kerbel
200 g Crème fraîche
2 El Sherry
2 El Rosé
Salz
schwarzer Pfeffer

Pro Portion ca. 151 kcal/635 kJ
1 g E, 15 g F, 2 g KH

Kräuter mit Crème fraîche, Sherry und Wein verrühren und mit Salz und Pfeffer abschmecken. 1 Stunde im Kühlschrank durchziehen lassen, dann erneut abschmecken. Passt zu Pilz- und Nudelsalaten.

Zwei-Öle-Dressing

3 El Rotweinessig
Salz
schwarzer Pfeffer
3 El Haselnussöl
3 El Olivenöl

Pro Portion ca. 115 kcal/483 kJ
10 g E, 13 g F, 1 g KH

Rotweinessig mit Salz und Pfeffer verrühren. Langsam die beiden Ölsorten dazugießen und gut unterrühren. Passt zu gemischten Blattsalaten mit Früchten und Avocado.

Sesam-Dressing

50 ml Maisöl
50 ml Reisweinessig
2 El dunkle Sojasauce
1 zerdrückte Knoblauchzehe
Salz
schwarzer Pfeffer
2 El Sesamöl

Pro Portion ca. 141 kcal/592 kJ
1 g E, 15 g F, 1 g KH

Maisöl, Reisweinessig, Sojasauce und Knoblauch miteinander verrühren. Mit Salz und Pfeffer abschmecken. Zuletzt das Sesamöl mit dem Schneebesen einrühren, bis die Sauce cremig ist. Passt zu Fleischsalaten.

Gemüsesalat mit Meerrettich-Anchovis-Dressing

100 g grüne Bohnen
1 Salatgurke
4 Radicchioblätter
175 g Mayonnaise
1 El Meerrettich (aus dem Glas)
1 Tl fein gehackte Anchovis
1 Tl geriebene Zwiebel
1 Tl Worcestersauce, 1/4 Tl Tabasco

Pro Portion ca. 447 kcal/1875 kJ
3 g E, 72 g F, 5 g KH

Bohnen bissfest garen. Salatgurke in Scheiben schneiden. Radicchio waschen und in Streifen schneiden. Mayonnaise, Meerrettich, Anchovis und Zwiebel miteinander verrühren. Mit Worcestersauce und Tabasco abschmecken. Mit dem Gemüse mischen und durchziehen lassen.

Hülsenfrüchtesalat mit Malz-Raps-Dressing

Je 150 g rote, gelbe und weiße Bohnen aus der Dose
100 g Maiskörner aus der Dose
etwas Friséesalat
100 g gekochte Kichererbsen
3 El Rapsöl. 1 El Zitronensaft
1 El Tomatenmark, 1 El Malzessig
1 El gehackte glatte Petersilie

Pro Portion ca. 191 kcal/800 kJ
14 g E, 6 g F, 29 g KH

Die Bohnen und die Maiskörner mit kaltem Wasser überbrausen, anschließend in einem Sieb gut abtropfen lassen. Salat putzen, waschen und trockenschleudern. Bohnen, Mais und Salat miteinander vermischen. Die Kichererbsen darunter heben. Das Öl mit dem Zitronensaft, Tomatenmark und Essig zu einer glatten Sauce verrühren. Petersilie unterheben, mit dem Salat vermischen und gut durchziehen lassen.

Blattsalat mit Walnuss-Honig-Dressing

1 Endiviensalat

1 kleiner Radicchio

3 El Rotweinessig

1 El mittelscharfer Senf

Saft von 1/2 Orange

1 Tl Honig

1 Bund fein gehackte gemischte Kräuter

3 El kalt gepresstes
Walnussöl

Salz, schwarzer Pfeffer

Pro Portion ca. 44 kcal/185 kJ
1 g E, 4 g F, 1 g KH

Salat putzen, waschen und in Streifen schneiden. Essig mit Senf, Orangensaft, Honig und Kräutern verrühren. Walnussöl unter Rühren nach und nach zugeben. Sauce mit Salz und Pfeffer abschmecken.

Pellkartoffelsalat mit Dill-Dressing

400 g gekochte Pellkartoffeln

1 Salatgurke, 1 Bund Dill

100 ml saure Sahne, 4 El süße Sahne

2 El Zitronensaft

Salz, 1 Prise Cayennepfeffer, Worcestersauce

Pro Portion ca. 143 kcal/600 kJ
3 g E, 6 g F, 18 g KH

Die Salatgurke waschen und in dünne Scheiben schneiden. Die Kartoffeln pellen, in Scheiben schneiden und damit vermischen. Den Dill waschen und trockenschütteln. Die harten Stiele entfernen und den Dill fein hacken. Saure Sahne mit der süßen Sahne und Zitronensaft schaumig schlagen. Mit Salz, Cayennepfeffer und Worcestersauce sehr pikant abschmecken. Anschließend mit den Salatzutaten vermischen und gut durchziehen lassen.

Kümmel-Dressing

115 ml saure Sahne
115 g Mayonnaise
5 El Weißweinessig
1 Tl Senf
2 Tl gemahlener Kümmel
1 Prise Zucker
Salz
Pfeffer

Pro Portion ca. 255 kcal/1071 kJ
2 g E, 27 g F, 3 g KH

Saure Sahne, Mayonnaise, Essig, Senf und Kümmel gut miteinander verrühren. Mit Zucker, Salz und Pfeffer abschmecken. Passt zu Kraut- und anderen Kohlsalaten.

Anatolischer Bauernsalat

400 g Tomaten
1 Salatgurke
250 g rote Zwiebeln
300 g grüne Paprikaschoten
100 g schwarze Oliven
4 El Olivenöl
3 El Weinessig
Salz, Pfeffer
200 g Schafskäse
1/2 Tl getrockneter Oregano
1 Bund Petersilie
1 El getrocknete rote Paprikaflocken

Pro Portion ca. 370 kcal/1554 kJ
12 g E, 31 g F, 11 g KH

Tomaten waschen, von den Stielansätzen befreien und in Achtel schneiden. Die Gurken waschen, schälen und in Scheiben schneiden.
Die Zwiebeln schälen und in Ringe schneiden. Die Paprikaschoten putzen, waschen, entkernen und in Streifen schneiden.
Tomaten, Gurken, Zwiebeln, Paprika und Olive in eine Schüssel geben.
Aus Olivenöl, Essig, Salz und Pfeffer ein Dressing bereiten und über den Salat geben. Alles gut mischen.
Den Schafskäse in Würfel schneiden. Über den Salat geben und mit Oregano würzen. Petersilie waschen, trockenschütteln und hacken. Den Salat mit Petersilie und Paprikaflocken bestreut servieren.

Hirtensalat

4 Tomaten
3 Frühlingszwiebeln
2 Salatgurken
3 grüne Paprikaschoten
1 Bund gehackte
frische Petersilie
100 ml Olivenöl
Saft von 1 Zitrone
1 El Essig
Salz
16 schwarze Oliven
1/2 Bund Radieschen

Pro Portion ca. 323 kcal/1356 kJ
4 g E, 28 g F, 13 g KH

Die Tomaten mit kochendem Wasser übergießen und enthäuten. Dabei die Stielansätze entfernen. Tomaten in Stücke schneiden.
Die Gurken schälen und würfeln. Die Paprika putzen, waschen, entkernen und fein hacken. Die Lauchzwiebeln putzen, waschen und hacken. Alle Salatzutaten außer Radieschen und Oliven in eine Schüssel geben.
Aus Olivenöl, Zitronensaft, Essig und Salz ein Dressing herstellen, über den Salat geben und unterheben.
Die Radieschen waschen und in Scheiben schneiden. Den Salat mit Radieschenscheiben und Oliven garniert servieren. Dazu passt Fladenbrot.

Bunter Salat mit Braunkappen

1 kleiner Eisbergsalat

4 Tomaten

2 Möhren

300 g Braunkappen, Steinpilze oder Stockschwämmchen aus dem Glas

30 g Butter

je 1 gelbe und orange Paprika

1 Schalotte

1 Knoblauchzehe

2 El Essig

Salz, Pfeffer

3–4 El Öl

frische Kräuter der Saison

Pro Portion ca. 170 kcal/715 kJ
5 g E, 13 g F, 8 g KH

Den Salat putzen, waschen, abtropfen lassen, die Blätter etwas kleiner zupfen. Die Tomaten mit kochendem Wasser überbrühen, anschließend häuten, entkernen und klein würfeln. Die Möhren putzen, waschen, schälen und in sehr feine Streifen schneiden.

Die Braunkappen oder Steinpilze putzen, sauber bürsten und ebenfalls in feine Streifen schneiden und in einer weiten Pfanne in der heißen Butter unter Rühren etwa 5 Minuten braten. Die Stockschwämmchen in einem Sieb abtropfen lassen, dazugeben und untermischen. Pilze beiseite stellen.

Die Paprika putzen, waschen, halbieren, den Stiel und die Kerne entfernen. Paprika in feine Streifen schneiden. Die Schalotte und den Knoblauch schälen und sehr fein hacken. Alles miteinander in einer Schüssel vermischen.

Für die Salatsauce den Essig mit Salz, Pfeffer und dem Öl verschlagen und pikant abschmecken. Die Kräuter waschen, trockenschütteln und fein hacken.

Die Salatsauce und die Hälfte der gehackten Kräuter zu den Salatzutaten geben, Pilze dazugeben, alles miteinander vermischen und etwa 15 Minuten durchziehen lassen. Den Salat anrichten und mit den restlichen Kräutern bestreut servieren.

Dips

Romesco-Sauce

3 getrocknete rote Chilischoten
5–6 Knoblauchzehen
4 Tomaten
15 geschälte Mandeln
1 Prise Zucker
150 ml Olivenöl, extra vergine
2 El Rotweinessig
Salz
frisch gemahlener Pfeffer
Basilikumblättchen zum Garnieren

Pro Portion ca. 350 kcal/1470 kJ
6 g E, 34 g F, 5 g KH

Die Chilischoten 20 Minuten in Wasser einweichen, anschließend abtropfen lassen und abtrocknen. Knoblauch schälen und ohne Fett rösten.
Die Tomaten waschen und abtrocknen, mit den Mandeln und dem Knoblauch auf ein Backblech legen und im Backofen bei 180 °C etwa 20 Minuten backen lassen. Wenn die Mandeln goldfarben sind, herausnehmen und abkühlen lassen.
Gerösteten Knoblauch und Tomaten schälen, Tomaten beiseitestellen. Knoblauch mit Mandeln und abgetropften Chilis im Mixer pürieren. Tomaten und Zucker zufügen und untermixen.
Unter Rühren langsam das Öl zugießen. Etwa 1 1/2 El Essig untermixen. Die Sauce mit dem restlichen Essig, Salz und Pfeffer abschmecken.
Romesco-Sauce abgedeckt mindestens 2 Stunden ziehen lassen. Mit Basilikum bestreut zimmerwarm zu Weißbrot servieren.

Roquefort-Dip mit Crêpesröllchen

125 ml Milch
2 Eier
Salz
75 g Mehl
1 El Weinbrand
2 El zerlassene Butter
2 El Butterschmalz
6 Frühlingszwiebeln
200 g Roquefort
500 g saure Sahne
1 Tl Worcestersauce
Pfeffer, 1 Birne

Pro Portion ca. 365 kcal/1533 kJ
15 g E, 28 g F, 13 g KH

Die Milch mit den Eiern und 1 Prise Salz verquirlen. Das Mehl glatt unterrühren. Den Weinbrand und die zerlassene Butter ebenfalls unterrühren. Den Teig mindestens 30 Minuten ruhen lassen. Anschließend in Butterschmalz 8–10 hauchdünne Crêpes backen und abkühlen lassen.
Die Frühlingszwiebeln putzen, waschen und klein hacken. Den Käse grob zerbröckeln. Beides mit saurer Sahne und Worcestersauce fein pürieren. Mit Salz und Pfeffer abschmecken.
Die Birne schälen, halbieren und entkernen. Anschließend in sehr kleine Würfel schneiden. Birnenwürfel zum Dip dazugeben und unterheben. Dip abdecken und mindestens 30 Minuten im Kühlschrank durchziehen lassen.
Die Crêpes einrollen, in mundgerechte Stücke schneiden und mit dem Dip servieren.

Avocado-Zitronen-Dip

2 Avocados
Saft von 2 Zitronen
6 Frühlingszwiebeln
2 grüne Chilis
einige Stiele Koriander
1 El Olivenöl
150 g saure Sahne
Salz
Pfeffer

Pro Portion ca. 353 kcal/1481 kJ
4 g E, 34 g F, 8 g KH

Avocados halbieren, anschließend den Kern entfernen und das Fruchtfleisch aus der Schale lösen. Sofort mit dem Zitronensaft beträufeln, damit es sich nicht verfärbt.
Die Zwiebeln putzen, waschen und klein schneiden. Die Chilis putzen, waschen, Stielansatz und Kerne entfernen und mit den Frühlingszwiebeln in den Mixbecher geben.
Den Koriander waschen, trockenschütteln und ebenfalls zugeben. Alles mit dem Öl und der sauren Sahne grob pürieren.
Den Dip mit Salz und Pfeffer abschmecken und abgedeckt mindestens 20 Minuten im Kühlschrank ziehen lassen. Damit sich der Dip nicht verfärbt, Klarsichtfolie direkt auf die Oberfläche legen.Den Dip mit Tortillas, Nachos oder Rohkost servieren.

Kerbelcreme mit Kartoffelspießen

Für 16 Spieße

800 g kleine neue Kartoffeln

Salz

1 großer Bund Kerbel (ca. 30 g)

160 g weiche, mild gesäuerte Butter

125 g Frischkäse

2 El geriebener Meerrettich

Pfeffer

4 unbehandelte Zitronen

1 frischer Lorbeerzweig

16 hölzerne Schaschlikspieße

Pro Spieß ca. 153 kcal/640 kJ
2 g E, 11 g F, 11 g KH

Die Holzspieße in eine Schüssel mit Wasser legen – dann verbrennen sie später nicht so stark beim Grillen. Kartoffeln so sauber schrubben, dass später die Schale mitgegessen werden kann, halbieren und in Salzwasser 10–12 Minuten fast gar kochen. Anschließend abgießen und mit kaltem Wasser abschrecken.

Während die Kartoffeln kochen, den Dip vorbereiten: Kerbel waschen und trockenschütteln, die Blättchen abzupfen und grob hacken. 125 g Butter, Frischkäse und Meerrettich in einer Schüssel mit einem Rührgerät mischen, Kerbel unterrühren und mit Salz und Pfeffer abschmecken.

Die Zitronen halbieren, jede Hälfte vierteln. Die Zitronenstücke zusammen mit den Kartoffeln und einigen frischen Lorbeerblättern abwechselnd auf die Holzspieße stecken, alles mit restlicher, zerlassener Butter bestreichen und leicht salzen.

Die Kartoffelspieße auf einer weniger heißen Stelle am Rand des Grills 6–8 Minuten grillen, bis die Kartoffeln leicht gebräunt sind, dabei zwei- bis dreimal wenden und jedes Mal mit Butter bestreichen. Kartoffelspieße mit der Kerbelcreme servieren.

Tapenade (Olivenpaste)

Für 20 Portionen

250 g schwarze Oliven
100 g Sardellenfilets
150 g Thunfisch in Olivenöl
200 g Kapern
1 El Dijon-Senf
1 El Cognac
200 ml Olivenöl
Salz
Pfeffer

Pro Portion ca. 192 kcal/806 kJ
3 g E, 17 g F, 6 g KH

Die Oliven entsteinen und bis auf 1 El in einen Mixbecher geben. Die Sardellenfilets und den Thunfisch mit dem Öl hinzufügen. Die Kapern abtropfen lassen, 1 El davon beiseitestellen. Restliche Kapern mit Senf, Cognac und Olivenöl ebenfalls zufügen. Alles im Mixer fein pürieren.
Die Olivenpaste mit Salz und Pfeffer pikant abschmecken.
Die beiseitegestellten Oliven würfeln und unterheben. Die restlichen Kapern klein hacken und ebenfalls unterheben. Paste mit Klarsichtfolie abdecken und im Kühlschrank etwa 15 Minuten durchziehen lassen. Anschließend mit geröstetem Brot oder Gemüse servieren.
Die Tapenade lässt sich gut verschlossen im Kühlschrank etwa 3 Wochen aufbewahren.

Scharfe Käsetunke

4 getrocknete rote Chilis
2 frische grüne Chilis
2 Knoblauchzehen
Salz
6 El frisch geriebener Manchego-Käse
ca. 4 El Olivenöl
etwas Koriander oder Petersilie zum Garnieren

Pro Portion ca. 45 kcal/187 kJ
4 g E, 2 g F, 2 g KH

Die getrockneten Chilis etwa 30 Minuten in warmem Wasser einweichen. Anschließend gut abtropfen lassen, fein hacken und in einen Mörser oder in einen Mixer geben.

Die frischen Chilis waschen, entkernen und fein hacken.

Den Knoblauch schälen, fein hacken und mit Salz zu den Zutaten in den Mixer geben und fein pürieren.

Das Püree in eine Schüssel geben. Den frisch geriebenen Käse dazugeben und darunterrühren.

Nach und nach das Olivenöl unter kräftigem Schlagen einrühren. So lange rühren, bis die Masse schön homogen ist.

Den Koriander oder die Petersilie waschen, trockenschütteln und die Käsetunke damit garnieren. Mit gerösteten Brotwürfeln servieren.

Aioli auf geröstetem Brot

7–10 dicke Knoblauchzehen

3 Eigelb

1/2 Tl Dijon-Senf

Salz

frisch gemahlener schwarzer Pfeffer

1/2 Zitrone

ca. 300 ml Olivenöl

Cayennepfeffer

Baguette

Pro Portion ca. 263 kcal/1103 kJ
4 g E, 24 g F, 9 g KH

Den Knoblauch schälen und in einen Mixer geben. Eigelb mit dem Senf dazugeben. Alles kräftig mit Salz und viel frisch gemahlenem, schwarzem Pfeffer würzen.

Die Zitrone auspressen und den Zitronensaft ebenfalls zu den Zutaten in den Mixer geben. Alles sehr fein pürieren, das Olivenöl unter Rühren in feinem Strahl zugeben.

Die Masse so lange mixen, bis die Masse mayonnaiseartig wird, eventuell noch etwas Öl zufügen, wenn die Mayonnaise zu fest ist.

Aioli mit 1 Prise Cayennepfeffer würzen und etwa 15 Minuten durchziehen lassen.

Das Baguette in Scheiben schneiden und in einer Pfanne ohne Fett von beiden Seiten goldgelb rösten. Herausnehmen und warm halten. Aioli mit den warmen Brotscheiben servieren.

Kräuterquark mit Pellkartoffeln

1 kg Quark
250 ml Sahne
Salz
Pfeffer
1 Bund Petersilie
1 Bund Schnittlauch
1/2 Bund Liebstöckel
1/2 Bund Kerbel
1 kg Kartoffeln

Pro Portion ca. 375 kcal/1575 kJ
36 g E, 19 g F, 13 g KH

Den Quark mit der Sahne verrühren, bis er schön cremig ist. Quark mit Salz und Pfeffer würzen.
Die Kräuter waschen, trockenschütteln und fein hacken oder wiegen. Die Kräuter unter den Quark mischen. Den Quark 20 Minuten ziehen lassen, dann nochmals mit Salz und Pfeffer abschmecken.
Die Kartoffeln waschen und in der Schale in kochendem Salzwasser etwa 20 Minuten garen. Dann abgießen und mit dem Kräuterquark servieren.

Aprikosendip mit Ziegenkäse

50 g getrocknete Aprikosen
1 El Aceto Balsamico
1 Ei
4 Ziegenkäse
2–3 El Paniermehl
Rucola zum Garnieren
Öl zum Frittieren
4 kleine Weißbrotscheiben

Pro Portion ca. 398 kcal/1670 kJ
12 g E, 29 g F, 23 g KH

Die getrockneten Aprikosen in einem kleinen Topf knapp mit Wasser bedeckt zum Kochen bringen. Etwa 1 Minute kochen, dann abkühlen lassen. Anschließend in einem Mixer fein pürieren, mit dem Balsamico-Essig pikant abschmecken und ziehen lassen.
Inzwischen das Ei verquirlen und den sehr kalten Ziegenkäse nacheinander in Ei und Paniermehl wenden. Das Panieren noch einmal wiederholen und die Panade gut andrücken.
Den Rucola putzen, die groben Stiele entfernen, Blätter waschen und trockenschütteln. Das Öl in einer Fritteuse oder in einer hohen Pfanne auf 160 °C erhitzen. Den panierten Ziegenkäse darin goldbraun frittieren. Herausnehmen und auf Küchenpapier abtropfen lassen.
Die kleinen Weißbrotscheiben mit etwas von dem Aprikosendip bestreichen und den frittierten Ziegenkäse darauf anrichten. Mit Dip beträufeln, auf Rucola anrichten und servieren.

2002
APPELLATION
12% vol.
CHARLES DE ROUVRAY

Aprikosen-Dip mit Puten-Röllchen

150 ml Apfelsaft
1 Knoblauchzehe
1 Stück frischer Ingwer (ca. 2 cm)
1 rote getrocknete Chilischote
200 g getrocknete Aprikosen
2 El Sojasauce
3 Sternanis
600 g Putenbrustfilet
3 El Sonnenblumenöl
Salz
frisch gemahlener Pfeffer
200 g Naturjoghurt
6–8 Stiele glatte Petersilie

Pro Portion ca. 358 kcal/1502 kJ
41 g E, 5 g F, 33 g KH

Den Apfelsaft in einen Topf geben. Den Knoblauch und den Ingwer schälen, anschließend beides klein hacken und dazugeben. Chilischote zerbröseln und ebenfalls hinzufügen. Mit Aprikosen, Sojasauce und Sternanis aufkochen und alles 12 Minuten leicht köcheln lassen. Aprikosen herausnehmen und den Sud beiseitestellen.

Das Putenbrustfilet waschen und abtrocknen. Anschließend in etwa 10 cm lange und 1 cm dicke Streifen schneiden. Die Streifen um die Aprikosen wickeln und mit einem Holzspießchen fest stecken.

Das Öl in einer Pfanne erhitzen und die Spieße von beiden Seiten je etwa 5 Minuten braten. Anschließend salzen und pfeffern.

Den Joghurt mit dem Aprikosensud verrühren. Mit Salz und Pfeffer würzen. Petersilie waschen, trockenschütteln, klein hacken und unterrühren. Dip in ein Gefäß füllen und zu den Spießen servieren.

Picadillydip mit Fisch und Chips

125 g Mehl
150 ml Ale oder Wasser
1 Prise Salz
200 g Mayonnaise
150 g Naturjoghurt
3 Schalotten
1 Glas Mixed Pickels (ca. 350g)
1 El Senf
1/2 El geriebener Meerrettich
Pfeffer
500 g festkochende Kartoffeln
Fett zum Frittieren
500 g Kabeljau in Stücken
Essig zum Beträufeln

Pro Portion ca. 833 kcal/3497 kJ
30 g E, 57 g F, 49 g KH

Den Backofen auf 250 °C vorheizen. Das Mehl mit dem Ale oder Wasser und Salz zu einem glatten Teig verrühren und 20 Minuten quellen lassen.
Inzwischen für den Dip die Mayonnaise mit Joghurt verrühren. Gewürfelte Schalotten und Mixed Pickles, Senf und Meerrettich hinzugeben und unterrühren. Mit Salz und Pfeffer abschmecken.
Die Kartoffeln schälen, waschen, in Stifte schneiden und gut abtrocknen. Das Fett auf 160 °C erhitzen und die Kartoffeln darin in Portionen frittieren, bis sie fast gar sind. Herausnehmen, das Fett wieder erhitzen und die Chips erneut frittieren, bis sie goldbraun sind. Herausnehmen, abtropfen lassen und im vorgeheizten Backofen bei 225 °C warm halten.
Den Fisch waschen und abtrocknen, in Portionen schneiden, salzen und pfeffern. Fisch portionsweise durch den Teig ziehen, goldbraun frittieren und auf Küchenpapier abtropfen lassen.
Fisch und Chips werden stilecht mit Essig beträufelt und in einer zur Tüte gerollten Zeitung serviert.

Tomaten-Tapenade mit Rahmkäse

1 Knoblauchzehe

1 Schalotte

125 g schwarze Oliven

7 getrocknete Tomaten in Öl

2 Frühlingszwiebeln

125 g frischer Rahmkäse

1 El Olivenöl

Salz

Cayennepfeffer

etwas Basilikum

Pro Portion ca. 240 kcal/1011 kJ
5 g E, 23 g F, 5 g KH

Den Knoblauch und die Schalotte schälen, zerkleinern und in einen Mixer geben. Die Oliven entsteinen und grob zerkleinert dazugeben. Die Tomaten ebenfalls grob zerkleinert mit dem Öl dazugeben. Im Mixer alles fein pürieren.

Die Frühlingszwiebeln putzen, waschen und grob gehackt zu dem Püree in den Mixer geben. Zusammen mit dem Rahmkäse und dem Olivenöl nur kurz daruntermixen. Alles mit Salz und Cayennepfeffer würzig abschmecken. Wenn die Paste zu fest ist, noch etwas Olivenöl daruntermixen.

Das Basilikum waschen, trockenschütteln und die Blättchen abzupfen. Alles in eine Schüssel füllen und zu geröstetem Brot oder gebackenen Kartoffeln servieren.

Mojo verde mit Boniato-Chips

4 Süßkartoffeln
2 Eiweiß
3 El Chilipulver
1 Prise Piment
1 Knoblauchknolle
2 grüne Paprikaschoten
1 El gemahlener Kreuzkümmel
250 ml Olivenöl
1 Bund glatte Petersilie
etwas Essig
Salz
Pfeffer
Öl für das Backblech

Pro Portion ca. 645 kcal/2709 kJ
6 g E, 52 g F, 40 g KH

Den Backofen auf 225 °C vorheizen. Ein Backblech mit etwas Öl einfetten. Die Süßkartoffeln schälen, waschen und in dünne Scheiben hobeln. Das Eiweiß mit 2 El Chilipulver und Piment gut verquirlen. Die Süßkartoffelscheiben hineingeben und damit gut vermengen, sodass sie rundherum überzogen sind.
Die Chips auf das gefettete Backblech legen. Im vorgeheizten Backofen bei 225 °C etwa 30–35 Minuten bräunen lassen.
Für die Mojo verde den Knoblauch schälen und in einen Mixer geben. Die Paprikaschoten putzen, waschen und halbieren, anschließend den Stielansatz und die Kerne entfernen. Die Paprika grob würfeln und mit dem Kreuzkümmel zum Knoblauch geben. Alles mit dem Öl pürieren. Die Petersilie waschen, trockenschütteln und grob zerkleinert unter das Püree mixen. Mit Essig und Salz abschmecken.
Die Kartoffelchips herausnehmen und mit Salz, Pfeffer und restlichem Chilipulver bestreuen. Mit Mojo verde servieren.

Kräutercreme mit Spargel

725 g weißer Spargel
Salz
125 g Mehl
150 ml helles Bier
1 Ei
1 El Öl
2 Eigelb
1 Tl Senf
je 3 El Keimöl, Magerquark
1 Knoblauchzehe
5 El frisch gehackte gemischte Kräuter (Petersilie, Dill, Schnittlauch)
Pfeffer
Zitronensaft
Frittieröl

Pro Portion ca. 188 kcal/790 kJ
10 g E, 2 g F, 28 g KH

Spargel schälen, holzige Enden abschneiden und die Stangen in etwa 5 cm lange Stücke schneiden. In kochendem Salzwasser bissfest garen. Herausnehmen und abtropfen lassen. Auf Küchenpapier trocknen. Mehl und Bier verrühren. Das Ei trennen, das Eigelb hinzufügen und mit Salz würzen. Zuletzt das Öl hineinschlagen. Den Teig etwa 30 Minuten ruhen lassen. Das Eiweiß steif schlagen und unter den Teig heben.

Für die Kräutercreme das Eigelb mit dem Senf verrühren, nach und nach das Öl und den Magerquark unterrühren, bis eine sämige Mayonnaise entstanden ist. Knoblauch schälen und fein hacken. Knoblauch und gehackte Kräuter unterziehen und die Creme mit Knoblauch, Pfeffer und Zitronensaft würzen. Bis zum Servieren kühlen.

Das Frittieröl in einem Topf oder der Fritteuse auf 160 °C erhitzen. Die Spargelstücke in den Bierteig tauchen und im heißen Fett goldgelb ausbacken. Mit Paprikapulver bestreuen und mit Kräutercreme servieren.

Japanischer Sesamdip mit Nudeln

475 g Somen

12 bis 18 Eiswürfel

4 El geröstete Sesamsamen

je 1 El Sake und Zucker

1/2 El Shoyu

1 Prise Salz

je 1 El frisch geriebener Ingwer und in Ringe geschnittene Schalotten

Pro Portion ca. 308 kcal/1294 kJ
10 g E, 4 g F, 56 g KH

In einem großen Topf 2 Liter Wasser zum Kochen bringen. Die Nudeln darin etwa 7 Minuten garen, bis sie weich sind. In ein Sieb abgießen und einige Minuten mit kaltem Wasser abschrecken. Dann gut abtropfen lassen.
Aus den restlichen Zutaten außer Ingwer und Schalotten einen Dip rühren und zu den Nudeln servieren. Mit Ingwer und Schalotten garnieren.

Kräutermayonnaise mit Zwiebeln im Bierteig

150 ml Trappisten-Bier
2 Eier
150 g Mehl
2 El geriebener Parmesan
1 Prise Salz
6–8 Zwiebeln
20 dicke Knoblauchzehen
150 g Mayonnaise
100 g Crème fraîche
1 Tl scharfer Senf
2 Zweige Thymian
1/2 Bund Petersilie
1/2 Bund Schnittlauch
Pfeffer
Öl zum Ausbacken
gewässerte Holzspießchen

Pro Portion ca. 578 kcal/2426 kJ
11 g E, 43 g F, 35 g KH

Das Bier mit den Eiern verquirlen. Das Mehl mit dem geriebenen Parmesan unterrühren, salzen und 15 Minuten quellen lassen. Die Zwiebeln und den Knoblauch schälen, Zwiebeln in Spalten schneiden und im Wechsel mit dem Knoblauch auf kleine Holzspieße stecken.
Die Mayonnaise mit der Crème fraîche und dem Senf verrühren. Die Kräuter waschen, trockenschütteln und die Blättchen klein hacken. Die Hälfte der Petersilie zuvor beiseite stellen. Kräuter unter die Mayonnaise rühren und mit Salz und Pfeffer abschmecken.
Das Öl auf 180 °C erhitzen. Zwiebelspieße nacheinander vorsichtig durch den Bierteig ziehen und im heißen Öl goldbraun ausbacken. Herausnehmen und auf Küchenpapier abtropfen lassen.
Restliche Petersilie 1 Minute frittieren und mit den Zwiebelspießen, Mayonnaise und Brot servieren.

Andalusische Tapenade

150 g schwarze Oliven
2 El Kapern
1/2 Dose Thunfisch in Öl
6 Anchovisfilets
1 El Zitronensaft
1 Tl Senf
6 El Olivenöl
1/2 Tl getrocknete Kräuter, z.B. Thymian, Rosmarin und Oregano
frisch gemahlener Pfeffer

Pro Portion ca. 375 kcal/1575 kJ
12 g E, 35 g F, 5 g KH

Die Oliven und die Kapern abtropfen lassen, die Oliven anschließend entsteinen.
Die Oliven mit den Kapern in einen Mixer geben. Den abgetropften Thunfisch und die Anchovisfilets dazugeben. Den Zitronensaft und den Senf ebenfalls dazufügen und alles fein pürieren.
Unter ständigem Mixen nach und nach das Olivenöl vorsichtig darunter mixen. So lange weiter mixen, bis die richtige Konsistenz entstanden ist.
Die Kräuter, Salz und frisch gemahlenen Pfeffer dazugeben und untermixen. Abschmecken und zugedeckt mindestens 3 Stunden durchziehen lassen.

Basilikum-Joghurt-Dip mit Schafskäse-Spießen

2 Zweige Thymian
2 Zweige Rosmarin
1 Bund Basilikum
375 ml Olivenöl
3–4 Knoblauchzehen
2 Zwiebeln
Salz
Pfeffer
500 g Schafskäse
2 kleine Zucchini
1 kleine Aubergine
1 grüne Paprikaschote
20 Kirschtomaten
250 g griechischer Joghurt
Holzspieße

Pro Portion ca. 525 kcal/2205 kJ
27 g E, 42 g F, 11 g KH

Holzspieße in kaltes Wasser legen. Kräuter waschen, trockenschütteln und die Blättchen von den Stielen zupfen. Thymian und Rosmarin klein hacken und mit 250 ml Olivenöl vermischen. Knoblauch und Zwiebeln schälen. 1 Knoblauchzehe dazupressen und mit Salz und Pfeffer würzen.

Schafskäse in mundgerechte Würfel schneiden. Zucchini, Aubergine und Paprika putzen und waschen. Zucchini und Aubergine ebenfalls in Würfel schneiden. Paprika halbieren, Stielansatz und Kerne entfernen und die Hälften in Stücke schneiden. Zwiebeln vierteln. Schafskäse mit dem Gemüse im Wechsel mit den gewaschenen Kirschtomaten auf die Holzspieße stecken. 20 Minuten in der Marinade ziehen lassen.

Für den Dip Basilikum mit restlichem Olivenöl fein pürieren. Joghurt unterrühren und mit Salz und Pfeffer würzen.

Die Spieße auf dem Grill von beiden Seiten etwa 1–2 Minuten grillen. Noch warm mit dem Dip servieren.

Babaganoush mit Fladenbrot

3 El Sesamsamen
3 El Mohnsamen
2 El gehackter Thymian
150 ml Olivenöl
2 Fladen- oder Pita-Brote
2 Auberginen
2 Knoblauchzehen
4 El Tahin (Asialaden)
40 g gemahlene Mandeln
Saft von 1/2 Zitrone
1/2 Tl Kreuzkümmel
1/2 Tl Salz
10 Minzeblätter

Pro Portion ca. 298 kcal/1218 kJ
7 g E, 18 g F, 25 g KH

Den Sesam in einer Pfanne ohne Fett rösten. Abkühlen lassen und anschließend mit dem Mohn und dem Thymian in einem Mörser zerstoßen. 125 ml Öl unterrühren. Die Fladenbrote waagerecht durchschneiden. Mit der Ölmischung bestreichen und anschließend knusprig braun grillen.
Die Auberginen waschen, abtrocknen und auf den heißen Grill legen. Unter ständigem Wenden grillen, bis die Oberfläche schwarz wird und Blasen wirft. Die Auberginen schälen, grob hacken, in einem Sieb abtropfen lassen, anschließend ausdrücken und fein pürieren.
Den Knoblauch schälen, hacken und mit Tahin, Mandeln, Zitronensaft, Kreuzkümmel und Salz zu einer glatten Paste mixen und mit der Auberginenpaste vermischen.
Die Minze waschen, trockenschütteln, die Hälfte grob hacken und unterrühren. Baba Ganoush auf die Hälfte der Brote streichen, mit der restlichen Minze bestreuen und mit restlichem Olivenöl beträufeln. Mit den restlichen Brothälften bedecken.

Kräuterdip mit Hackfleischspießen

300 g Kalbshackfleisch
300 g Schweinehackfleisch
2 Zwiebeln
1 Knoblauchzehe
1 rote Paprikaschote
2 Gewürzgurken
1/2 Bund frisch gehackte Petersilie
Salz, Pfeffer
1 Tl Cayennepfeffer
1 Tl frisch gehackter Kerbel
1 Tl frisch geschnittener Schnittlauch
250 g Naturjoghurt
250 g saure Sahne
gewässerte Holzspieße

Pro Portion ca. 438 kcal/1840 kJ
34 g E, 30 g F, 8 g KH

Die beiden Hackfleischsorten in eine Schüssel geben. Zwiebeln und Knoblauch schälen und fein hacken. Die Paprikaschote waschen, putzen, entkernen und in kleine Würfel schneiden. Die Gewürzgurken ebenfalls fein würfeln.
Hackfleisch, 1 gehackte Zwiebel, Knoblauch, Paprika, Gurken, Petersilie und Gewürze miteinander mischen und zu einem glatten Teig verarbeiten. Aus dem Teig Rollen formen und je 3 Stücke auf Holzspieße stecken. Die Hackfleischspieße unter dem heißen Grill etwa 15 Minuten unter mehrmaligem Wenden grillen.
Die restliche Zwiebel mit den Kräutern, Joghurt und saurer Sahne mischen und mit Salz und Pfeffer abschmecken. Den Kräuterdip zu den Hackfleischspießen reichen.

Dip mit kalten Somennudeln

je 50 ml Mirin, Sojasauce und Dashi

2 El geflockter Thunfisch

1/4 Tl Salz

Glutamat

475 g Somen

12 bis 18 Eiswürfel

je 1 El frisch geriebener Ingwer und in Ringe geschnittene Schalotten

Pro Portion ca. 267 kcal/1121 kJ
16 g E, 4 g F, 71 g KH

Mirin erwärmen, anzünden und die Flamme durch Bewegen des Topfes erlischen lassen. Sojasauce, Dashi, Thunfischflocken, Salz und 1 Prise Glutamat unterrühren und die Mischung aufkochen. Dann auf Zimmertemperatur abkühlen lassen.

In einem großen Topf 2 l Wasser zum Kochen bringen. Die Nudeln darin etwa 7 Minuten garen, bis sie weich sind. In ein Sieb abgießen und einige Minuten mit kaltem Wasser abschrecken. Dann gut abtropfen lassen.

Die Nudeln auf 4 bis 6 Schalen verteilen. In jede Schale 2 bis 3 Eiswürfel dazugeben. Ingwer und Schalotten sowie den Dip in 6 Schälchen verteilen und dazustellen.

Safran-Mayonnaise mit gebackenen Garnelen

500 g küchenfertige Garnelen
2 Knoblauchzehen
75 ml Olivenöl
2 El Zitronensaft
Salz
2 Eigelb
1 Msp. gemahlener Safran
ca. 200 ml Sonnenblumenöl
Pfeffer

Pro Portion ca. 560 kcal/2352 kJ
28 g E, 50 g F, 3 g KH

Den Backofen auf 175 °C vorheizen. Die Garnelen schälen, den Schwanz dabei nicht entfernen. Garnelen waschen und abtrocknen. Den Knoblauch schälen und fein hacken.
Das Olivenöl mit dem Knoblauch, 1 El Zitronensaft und Salz gut vermischen. Garnelen dazugeben und damit gründlich vermischen. Anschließend alles in eine Cazuela (Guss- oder Edelstahlform) füllen. Im Backofen etwa 20 Minuten backen.
Inzwischen das Eigelb mit dem gemahlenen Safran, Salz und 1 El Zitronensaft kräftig verrühren. Das Sonnenblumenöl anfangs tropfenweise darunter rühren, nach und nach das restliche Öl in feinem Strahl hineinrühren. Alles mit Salz und Pfeffer abschmecken. Die gebackenen Garnelen mit der Safranmayonnaise und geröstetem Brot servieren.

Estragon-Mayonnaise

3 Eigelb
1/2 Tl Salz
Pfeffer
1 El Estragonessig
1/2 l Öl
1 El Kapern
3 Gewürzgurken
1 Bund Estragon

Pro Portion ca. 4990 kJ/1194 kcal
3 g E, 130 g F, 2 g KH

Die Eigelb mit etwas Salz und Pfeffer schaumig schlagen. Den Essig langsam unter Rühren zugeben. Das Öl tropfenweise unter ständigem Rühren zu der Eigelbmasse geben.
Die Kapern und die Gewürzgurken abtropfen lassen und fein hacken. Den Estragon waschen, trockenschleudern und fein hacken.
Die Kapern, die Gewürzgurken und den Estragon unter die Mayonnaise heben und eventuell noch mit Salz und Pfeffer nachwürzen. Bis zum Gebrauch kühl stellen.

Cumberland-Sauce

1 unbehandelte Zitrone
1 unbehandelte Orange
3 Schalotten
200 g Johannisbeergelee
3 El Portwein
1 El Essig
Pfeffer
Ingwer
Salz

Pro Portion ca. 852 kJ/204 kcal
1 g E, 0 g F, 43 g KH

Die Zitrone und die Orange waschen, trockenreiben und die Schalen mit einem Juliennereißer abraspeln. Den Saft der beiden Früchte auspressen.

Die Schalen mit wenig Wasser kurz aufkochen, anschließend abgießen und gut abtropfen lassen.

Die Schalotten schälen, in feine Würfel schneiden und kurz in kochendem Wasser blanchieren. Anschließend gut abtropfen lassen.

Das Johannisbeergelee im Wasserbad kurz erhitzen, damit es flüssig wird. Etwas abkühlen lassen und die Fruchtschalen mit den Schalottenwürfeln unterrühren.

Die Sauce mit dem Portwein, Essig, Orangen- und Zitronensaft würzen und mit Pfeffer, Ingwer und Salz abschmecken.

Raffinierter Senf-Dip

150 g gelbe Senfkörner
1/2 El schwarze Pfefferkörner
1/2 Tl Pimentkörner
150 g brauner Zucker
190 ml Weinessig
Salz
1 Bund gemischte Kräuter
200 ml Joghurt
1 Msp. gemahlene Nelken
1/2 Tl Ingwerpulver

Pro Portion ca. 1485 kJ/353 kcal
11 g E, 11 g F, 49 g KH

Die Senfkörner zusammen mit den Pfeffer- und den Pimentkörnern mittelfein mahlen. Anschließend mit dem braunen Zucker mischen.
Den Essig einmal aufkochen lassen und langsam untermischen. Die Masse mit Salz würzen und abkühlen lassen.
Die Kräuter waschen, trockenschleudern und fein hacken. Den Joghurt glatt rühren und zusammen mit den Kräutern unter den Senf rühren. Den Dip mit Nelken- und Ingwerpulver abschmecken.

Feuriger Chili-Dip

125 g Zwiebeln
2 Knoblauchzehen
2 Chilischoten
3 El Öl
1/8 l Branntweinessig
25 g Zucker
2 Tl Salz
2 Lorbeerblätter
40 g Senfpulver
2 El Tomatenmark
250 g Frischkäse

Pro Portion ca. 1622 kJ/388 kcal
9 g E, 31 g F, 11 g KH

Die Zwiebeln und die Knoblauchzehen schälen und in feine Würfel schneiden.
Die Chilischoten halbieren, putzen, waschen und in feine Streifen schneiden.
Das Öl erhitzen und die Zwiebeln darin ca. 5 Minuten anschwitzen. Den Knoblauch und die Chilischoten dazugeben und weitere 3 Minuten braten.
Den Essig mit dem Zucker, dem Salz und den Lorbeerblättern dazugeben und das Ganze zugedeckt bei mittlerer Hitze ca. 20 Minuten kochen lassen.
Die Lorbeerblätter entfernen. Das Senfpulver und das Tomatenmark dazugeben, sorgfältig unterrühren und anschließend abkühlen lassen. Den Frischkäse glatt rühren und unter die Masse geben.

Schalotten-Orangen-Dip

250 g Schalotten
20 g Butter
1 El Öl
Salz
Zucker
Pfeffer
1 El Orangenmarmelade
2 El Orangenlikör
1/8 l Orangensaft
2 El Rosinen
2 El Pinienkerne
1 Bund Zitronenmelisse

Pro Portion ca. 798 kJ/190 kcal
3 g E, 9 g F, 20 g KH

Die Schalotten schälen und in Würfel schneiden. Die Butter mit dem Öl erhitzen und die Schalottenwürfel darin anschwitzen. Mit Salz, Zucker und Pfeffer kräftig würzen.
Die Orangenmarmelade mit dem Likör und dem Saft verrühren und die Schalotten damit ablöschen. Das Ganze zugedeckt ca. 15 Minuten leicht köcheln lassen.
Anschließend im offenen Topf ca. 5 Minuten einkochen lassen.
Die Rosinen waschen, abtropfen lassen und zusammen mit den Pinienkernen unter den Dip rühren.
Die Zitronenmelisse waschen, trockenschleudern und in feine Streifen schneiden. Die Zitronenmelisse unter den Dip rühren und anrichten.

Gewürz-Ketchup

3 Gläser à 500 g
500 g rote Paprikaschoten
500 g grüne Paprikaschoten
4 rote Peperoni
700 g Zwiebeln
4 Knoblauchzehen
6 El Sesamöl
3 Pimentkörner
2 Wacholderbeere
3 Nelken
1 Msp. Kreuzkümmel
Rosenpaprikapulver
250 ml Fleischbrühe
4 El Rotweinessig

Pro Glas ca. 1498 kJ/358 kcal
11 g E, 24 g F, 24 g KH

Die Paprikaschoten waschen, trocknen und halbieren. Die Kerne entfernen und die Schoten in kleine Stücke schneiden. Die Peperoni waschen, trocknen, die Kerne entfernen und die Peperoni fein hacken. Die Zwiebel schälen und in Würfel schneiden.
Die Knoblauchzehen schälen und fein hacken. Das Öl in einenm Topf erhitzen und darin die Zwiebel mit den Paprikastücken, den Peperoni und dem Knoblauch andünsten.
Das Gemüse mit den Gewürzen abschmecken und mit der Fleischbrühe und dem Essig angießen. Das Ganze zugedeckt bei milder Hitze ca. 1 Stunde köcheln lassen. Anschließend alles durch ein Sieb streichen und noch einmal mit den Gewürzen abschmecken.

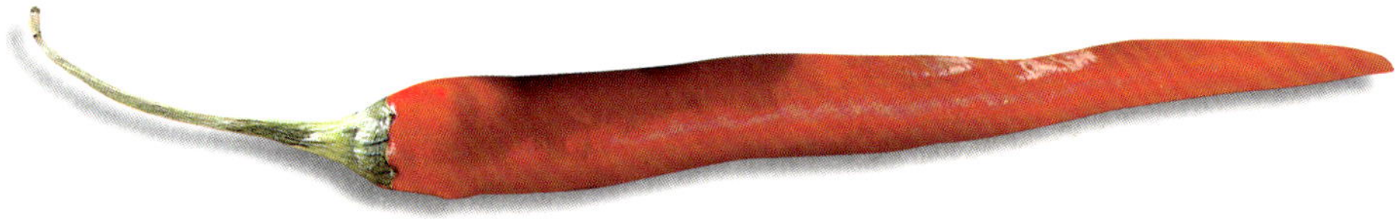

Salsas, Chutneys, Relishes

Minz-Chutney

1 Tl Kreuzkümmelpulver
1 große Zwiebel
1 Knoblauchzehe
100 g Minze
1 grüne Chili
1 El Zitronensaft
1/2 Tl Pfeffer
Salz

Pro Portion ca. 25 kcal/105 kJ
1 g E, 1 g F, 3 g KH

In einer kleinen Pfanne ohne Fett den Kreuzkümmel unter Rühren etwa 3 Minuten anrösten, danach vom Herd nehmen.
Die Zwiebel und die Knoblauchzehe schälen und in grobe Stücke schneiden.
Die Minzblätter von den Stielen zupfen und kurz waschen. Die Chili waschen und putzen. Beides grob hacken.
Alle Zutaten zusammen mit Salz und den Gewürzen zusammen im Mixer pürieren, bis daraus eine Paste entsteht, wenn nötig, etwas Wasser zugeben.
Das Minzchutney bis zum Gebrauch in den Kühlschrank stellen.

Dattel-Tomaten-Chutney

400 g Datteln

600 g Tomaten

3 El frisch geriebener Ingwer

1 Gemüsezwiebel

2 Knoblauchzehen

4 El Erdnussöl

je 1 1/2 Tl Kreuzkümmel-, Fenchel- und Kardamompulver

je 2 El Nelkenpulver und braunen Rohrzucker

je 2 Zimtstangen und Lorbeerblätter

Salz, Cayennepfeffer

1 Tl Kurkumapulver

5 El Himbeeressig

Pro Portion ca. 432 kcal/1816 kJ
4 g E, 11 g F, 79 g KH

Datteln und Tomaten waschen, putzen und anschließend in kleine Stücke schneiden. Mit dem Ingwer mischen. Die Zwiebel und den Knoblauch schälen und beides in kleine Würfel schneiden.

Das Öl in einer Pfanne erhitzen und die Zwiebel mit dem Knoblauch darin andünsten. Tomaten und Datteln dazugeben.

Kreuzkümmel-, Fenchel- und Kardamompulver zusammen mit Nelkenpulver, Zucker, Zimt, Lorbeerblättern, Salz, Pfeffer und Kurkuma dazugeben. Alles mit dem Himbeeressig aromatisieren und bei milder Hitze ca. 25 Minuten köcheln lassen.

Zimtstangen und Lorbeerblätter entfernen, das Chutney auf Schälchen verteilen und warm oder kalt servieren.

Kokos-Sambal

300 g frisches Kokosnussfleisch
4 Knoblauchzehen
3 grüne Chilis
2 rote Chilis
1 El geriebener Ingwer
4 El Kokosmilch
Salz
3 El Zitronensaft
2 Zwiebeln
3 El Erdnussöl
1 El schwarze Senfkörner
4 Curryblätter
3 El Kreuzkümmelpulver
2 El Kurkumapulver

Pro Portion ca. 392 kcal/1648 kJ
4 g E, 36 g F, 10 g KH

Das Kokosfleisch in kleine Stücke schneiden. Die Knoblauchzehen schälen und durchpressen. Die Chilis längs halbieren, entkernen, waschen und in Streifen schneiden.

Knoblauch, Chilis und Ingwer zum Kokosfleisch geben und alles mit Kokosmilch, Salz und Zitronensaft vermengen, anschließend pürieren.

Die Zwiebeln schälen und in Würfel schneiden. Das Öl erhitzen und die Zwiebeln darin andünsten. Die Senfkörner und die Curryblätter dazugeben. Mit Kreuzkümmel- und Kurkumapulver würzen und alles so lange rösten, bis die Senfkörner aufplatzen.

Die Würzmischung abkühlen lassen, dann die Kokosmasse unterrühren. Das Kokos-Sambal kühl lagern.

Apfel-Dattel-Walnuss-Chutney

250 g saure Äpfel
200 g Datteln
1 Stück frischer Ingwer, ca. 2 cm
40 g Walnüsse
125 g Zwiebeln
1/4 Tl Cayennepfeffer
Pfeffer
Salz
125 ml Rotweinessig
3 El Zucker

Pro Portion ca. 258 kcal/1082 kJ
3 g E, 7 g F, 44 g KH

Die Äpfel schälen, entkernen und fein würfeln. Die Datteln putzen, den Kern herauslösen und die Früchte in Streifen schneiden.
Den Ingwer schälen und fein hacken. Die Walnüsse klein hacken. Die Zwiebeln schälen, fein würfeln und in 50 ml Wasser etwa 5 Minuten kochen lassen.
Die Apfelwürfel dazugeben und ca. 10 Minuten köcheln lassen. Die zerkleinerten Datteln mit den gehackten Walnüssen, dem Ingwer, Cayennepfeffer, 1/2 Tl Pfeffer, 1 1/2 Tl Salz sowie die Hälfte des Essigs dazugeben.
Alles so lange köcheln, bis die Masse eindickt. Die Masse zwischendurch umrühren.
Den Zucker und restlichen Essig dazufügen.
Weiter köcheln, bis das Chutney dick wird.
Das Chutney in Gläser füllen und verschließen. Vor dem Servieren im Kühlschrank etwa 2–3 Wochen durchziehen lassen.

Avocado-Creme

3 reife Avocados
4 Tl Rohrzucker
2 Tl Honig
ca. 1 Tl Zitronensaft

Pro Portion ca. 425 kcal/1785 kJ
3 g E, 40 g F, 15 g KH

Die Avocados putzen, waschen und halbieren, den Kern aus dem Fruchtfleisch herauslösen und entfernen. Das Fruchtfleisch mit einem Teelöffel vorsichtig aus der Schale heben und im Mixer fein pürieren.
Die Avocadoschalen beiseite stellen. Das Avocadopüree mit dem Rohrzucker und dem Honig gut verrühren.
Die Avocadocreme mit Zitronensaft abschmecken. Die Creme in 4 Avocadoschalen füllen und servieren.

Tomaten-Salsa

1 Dose Tomaten à 450 g
5 Knoblauchzehen
2 El Weinessig
Salz
Pfeffer
Kreuzkümmel
1 Prise edelsüßes Paprikapulver
4 El kalt gepresstes Olivenöl
500 g Tomaten

Pro Portion ca. 88 kcal/368 kJ
2 g E, 6 g F, 6 g KH

Die Tomaten aus der Dose mit dem Saft in einen Mixbecher füllen und grob pürieren. Den Knoblauch schälen und dazupressen.
Den Weinessig mit Salz, Pfeffer, Kreuzkümmel und Paprikapulver dazugeben. Alles fein pürieren, nach und nach das Olivenöl darunter mixen.
Die frischen Tomaten waschen und abtrocknen, anschließend den Stielansatz entfernen und in Spalten schneiden.
Tomatenspalten auf einer Platte anrichten und die Tomatensauce darüber verteilen. Vor dem Servieren 30 Minuten in den Kühlschrank stellen.

Shrimps-Pfeffer-Sauce

50 g getrocknete Chilischoten

2 Zwiebeln

150 ml Öl

125 g Tomatenmark

1 Stück frischer Ingwer, ca. 8 cm

Salz, Pfeffer

ca. 200 g gemahlene, geräucherte Shrimps aus dem Asialaden

Pro Portion ca. 176 kcal/740 kJ
13 g E, 9 g F, 10 g KH

Die Chilis in etwa 150 ml Wasser einweichen und beiseite stellen.
Die Zwiebeln schälen und fein hacken. Das Öl in einem Topf erhitzen und die Zwiebeln unter ständigem Rühren etwa 3 Minuten darin anbraten.
Das Tomatenmark hinzufügen und mitdünsten. Alles etwa 10 Minuten zu einer Paste köcheln lassen. Inzwischen die Chilis mit einem Viertel des Einweichwassers im Mixer fein pürieren.
Den Ingwer schälen und fein raspeln. Das Chilipüree mit dem Ingwer zur Paste dazugeben. Mit Salz und Pfeffer kräftig würzen.
Die gemahlenen Shrimps unter die Zwiebel-Tomaten-Mischung rühren. Falls die Mischung zu fest wird, noch etwas Öl darunter rühren. Die Chilipaste anschließend unter ständigem Rühren noch etwa 8 Minuten köcheln lassen.
Die Sauce in saubere Gefäße füllen und verschließen. Sauce im Kühlschrank aufbewahren.

Salsa fresca

1 Bund Frühlingszwiebeln
500 g Tomaten
2 grüne Peperoni
je 4 El Öl und Bier
2 El Zitronensaft
1 El Tomatenpüree
2 Tl Zucker, Salz
1 Knoblauchzehe

Pro Portion ca. 91 kcal/382 kJ
2 g E, 5 g F, 8 g KH

Die Frühlingszwiebeln putzen, waschen und anschließend klein schneiden.
Die Tomaten kreuzweise einritzen, mit kochendem Wasser überbrühen, häuten und halbieren, den Stielansatz entfernen, entkernen und das Fruchtfleisch klein würfeln.
Die Peperoni klein schneiden. Das Öl mit Bier, Zitronensaft, Tomatenpüree, Zucker und Salz verrühren. Den Knoblauch schälen, dazupressen und unterrühren.
Das vorbereitete Gemüse salzen, zur Sauce hinzugeben und damit vermischen.
5Die Salsa mindestens 1 Stunde ziehen lassen. Salsa fresca passt zu Fleisch und Brotspießen.

Okra-Mais-Chutney

400 g Okraschoten
1 kleine Dose Mais
2 grüne Paprika
7 Zwiebeln
2 Knoblauchzehen
3 El Öl
1 kleine Dose geschälte Tomaten, ca. 300 g
Salz, Pfeffer

Pro Portion ca. 148 kcal/620 kJ
6 g E, 4 g F, 21 g KH

Die Okraschoten putzen, waschen und in dünne Scheiben schneiden. Den Mais in einem Sieb abtropfen lassen. Die Paprika putzen, waschen und halbieren, den Stielansatz und die Kerne entfernen und die Schoten klein würfeln.
Die Zwiebeln und die Knoblauchzehen schälen, die Zwiebeln fein hacken und den Knoblauch zerdrücken. In einem Topf das Öl erhitzen und die Zwiebeln und den Knoblauch darin andünsten.
Die Okrascheiben mit dem Mais und den Paprikawürfeln dazugeben. Die Tomaten grob zerkleinern und mit dem Saft ebenfalls dazugeben.
Alles miteinander vermischen und etwa 15 Minuten köcheln lassen, bis alles weich ist. Mit Salz und Pfeffer abschmecken.

Zwiebel-Aprikosen-Sauce

6 Zwiebeln
3 El Öl
2 El Currypulver
1 1/2 Tl Cayennepfeffer
1–2 El Aprikosenmarmelade
300 ml Weinessig
Salz, Pfeffer

Pro Portion ca. 77 kcal/321 kJ
2 g E, 3 g F, 10 g KH

Die Zwiebeln schälen und sehr fein würfeln. Das Öl in einem Topf erhitzen und die Zwiebelwürfel unter Rühren darin glasig dünsten.
Das Currypulver und den Cayennepfeffer unterrühren und dünsten, bis es anfängt zu duften.
Die Aprikosenmarmelade unterrühren. Den Essig hinzugießen und unterrühren.
Die Sauce kräftig mit Salz und Pfeffer würzen und gut verrühren. Abkühlen lassen und mindestens 1 Tag durchziehen lassen.

Avocado-Sambal

1 große, reife Avocado
250 g Joghurt
2 grüne Chilis
1/4 Bund frischer Koriander oder Petersilie
1 Tl Zucker

Pro Portion ca. 173 kcal/725 kJ
3 g E, 16 g F, 5 g KH

Die Avocado halbieren, den Kern aus dem Fruchtfleisch herauslösen und entfernen.
Das Fruchtfleisch mit einem Teelöffel aus der Schale heben und im Mixer fein pürieren. Den Joghurt dazugeben und untermixen.
Die Chilis putzen, waschen und halbieren. Den Stielansatz und die Kerne entfernen. Anschließend die Schoten klein hacken und zum Sambal dazugeben.
Den Koriander oder die Petersilie waschen, trockenschütteln und die Blättchen klein hacken.
Etwas zum Garnieren beiseite stellen. Gehackten Koriander oder gehackte Petersilie mit dem Zucker zum Sambal dazugeben und damit vermischen.
Das Sambal luftdicht verschließen und kalt stellen. Mit restlichem Koriander oder Petersilie garnieren.

Peperoni-Salsa

200 g Tomaten
1 kleine Zwiebel
6 Stiele Koriander
3 Peperoni
Salz

Pro Portion ca. 31 kcal/130 kJ
1 g E, 1 g F, 4 g KH

Die Tomaten waschen und abtrocknen, anschließend halbieren, den Stielansatz entfernen und klein würfeln.
Die Zwiebel schälen und klein hacken. Den Koriander waschen, trockenschütteln und fein hacken.
Die Peperoni putzen, waschen und halbieren, den Stielansatz entfernen und klein würfeln. Alles in eine Schüssel geben und mit Salz und kaltem Wasser bis zur passenden Konsistenz gut verrühren. Salsa sofort servieren.

Erdnuss-Sauce

3 Knoblauchzehen
1 Stück frischer Ingwer, ca. 3 cm
200 g Erdnussbutter
1/2 Tl Kardamom
1/2 Tl Kreuzkümmel
2–3 Tropfen Tabasco
1/2 Tl Paprikapulver
1/2 Tl Pfeffer
1 Tl Salz
250 g Joghurt

Pro Portion ca. 335 kcal/1407 kJ
15 g E, 27 g F, 9 g KH

Den Knoblauch schälen und fein hacken. Den Ingwer ebenfalls schälen und fein reiben.
Die Erdnussbutter in einem Topf erhitzen und den Knoblauch mit dem Ingwer darin andünsten. Mit Kardamom, Kreuzkümmel, Tabasco und Paprikapulver würzen. Alles unter Rühren erhitzen, aber nicht kochen lassen. Den Topf vom Herd nehmen, salzen und pfeffern. Den Joghurt dazugeben und unterziehen. Die Sauce warm oder kalt servieren.

Chili-Gurken-Chutney

Für 2 Gläser à 1 l
1 kg Schmorgurken
250 g Schalotten
20 g frische Ingwerknolle
1/4 Bund Dill
3 rote Chilis
200 ml Weißweinessig
400 g Zucker
1 El Senfkörner
Salz
Pfeffer aus der Mühle

Pro Glas ca. 365 kcal/1528 kJ
4 g E, 1 g F, 79 g KH

Die Gurken waschen und schälen. Der Länge nach halbieren und die Kerne mit einem Löffel herauskratzen. Gurken erst in Stücke, dann in feine Streifen schneiden.
Die Schalotten schälen und in Würfel schneiden. Den Ingwer schälen und reiben. Den Dill waschen, trockenschütteln und fein hacken. Die Chilischoten waschen, trocknen, halbieren, entkernen und in Streifen schneiden.
200 ml Wasser mit dem Essig in einem Topf aufkochen lassen. Die Chilis, Schalotten, Ingwer, Zucker und Senfkörner dazugeben. Die Gurken und den Dill zufügen, salzen und pfeffern und alles ca. 3 Minuten köcheln lassen. Das Ganze schließlich abkühlen und ca. 2 Stunden durchziehen lassen.
In Gläser abgefüllt und gut verschlossen hält sich das Chutney im Kühlschrank bis zu 3 Wochen.

Rote Currypaste

Für 1 Glas à 230 ml
8 rote Peperoni
1/2 Bund Frühlingszwiebeln
1 Stängel Zitronengras
6 Knoblauchzehen
1 frisches Stück Galgant (2 cm)
1 Kaffir-Limette
3 El Sesamöl
1/2 Tl Kreuzkümmelpulver
Salz
1/2 Tl frisch geriebene Muskatnuss
Pfeffer
1 Tl Garnelenpaste

Pro Portion ca. 284 kcal/1192 kJ
4 g E, 9 g F, 16 g KH

Die Peperoni waschen, längs halbieren, entkernen und in Streifen schneiden. Die Frühlingszwiebeln putzen, waschen und fein hacken. Das Zitronengras putzen, waschen und fein hacken. Die Knoblauchzehen schälen und fein hacken.
Die Galgantwurzel schälen und in Stücke schneiden. Die Kaffir-Limette mit lauwarmem Wasser abspülen, schälen und die Schale fein hacken.
Das Öl in einer Pfanne erhitzen und die Peperoni mit Frühlingszwiebeln, Zitronengras, Knoblauch, Galgantwurzel und Zitronenschale andünsten. Mit Kreuzkümmelpulver, Salz, Muskat und Pfeffer würzen.
Das Ganze in eine Schüssel geben und mit dem Mörser zerstoßen, bis eine cremige Paste entsteht. Zum Schluss die Garnelenpaste unterarbeiten. Die Paste hält sich gut gekühlt und fest verschlossen ca. 2 Monate.

Rhabarber-Chutney

Für 4 Gläser à 500 ml
500 g Rhabarber
200 g Erdbeeren
400 g Zwiebeln
800 g brauner Zucker
1/2 l Weißweinessig
1 Tl Salz
1 Tl gemahlener Koriander
1/4 Tl Nelkenpulver

Pro Portion ca. 165 kcal/695 kJ
4 g E, 9 g F, 16 g KH

Die Früchte waschen, den Rhabarber in Stücke schneiden. Erdbeeren entstielen und vierteln.
Die Zwiebeln schälen und klein würfeln.
Alles zusammen mit Zucker, Essig und Gewürzen zum Kochen bringen.
1–2 Stunden bei mittlerer Hitze einkochen lassen. Immer wieder umrühren.
Das Chutney heiß in Gläser füllen und diese sofort verschließen.

Ebereschenbeeren-Chutney

Für 5 Gläser à 500 ml
700 g Ebereschenbeeren
300 g Zwiebeln
200 g Tomaten
2 rote Paprikaschoten
400 ml Rotweinessig
2 El Sultaninen
1 Tl Salz
1 Tl Pfeffer
1/4 Tl Zimtpulver
1 Msp. Cayennepfeffer
500 g Gelierzucker

Pro Portion ca. 64 kcal/268 kJ
2 g E, 2 g F, 4 g KH

Die gewaschenen Ebereschenbeeren abzupfen und 24 Stunden in die Tiefkühltruhe legen (sie sind dann weniger bitter). Mit einer Essiglösung (1/2 Essig, 1/2 Wasser) übergießen und über Nacht stehen lassen. Die Beeren anschließend auf ein Sieb schütten.
Geschälte Zwiebeln klein würfeln. Die Tomaten häuten und klein schneiden. Die Paprikaschoten entkernen und würfeln. Alles zusammen mit den Ebereschenbeeren, dem Rotweinessig, Sultaninen und Gewürzen zum Kochen bringen.
Etwa 1 Stunde bei mittlerer Hitze einkochen lassen. Gelierzucker einrühren und unter Rühren zum Kochen bringen. 4 Minuten kochen lassen. Heiß in Gläser füllen und sofort verschließen.

Kirsch-Chutney

Für 1 Glas à 230 ml
1 säuerlicher Apfel
1 rote Zwiebel
1 kleines Glas Schattenmorellen (370 ml)
20 ml Rotweinessig
1/2 El Senfkörner
1/2 El Koriandersamen
1/4 Tl gehackter Ingwer
einige gehackte Rosmarinnadeln
Salz
frisch gemahlener Pfeffer
Zucker nach Belieben

Pro Portion ca. 165 kcal/695 kJ
4 g E, 9 g F, 16 g KH

Apfel schälen, vierteln und das Kerngehäuse entfernen. Zwiebel schälen und mit dem Apfel in kleine Würfel schneiden.
Schattenmorellen mit Saft, Apfel, Zwiebel, Essig, Senfkörnern, Koriandersamen, Ingwer sowie Rosmarin aufkochen und ca. 30 Minuten ohne Deckel köcheln lassen. Chutney mit Salz, Pfeffer und Zucker abschmecken.
Noch heiß in ein vorbereitetes Glas füllen, sofort verschließen und abkühlen lassen. Passt besonders gut zu Camembert.

Mittelmeer-Relish

Für 2–3 Gläser à 500 ml
je 1 kleine gelbe und grüne Paprikaschote
1 kleine Aubergine
400 g Zucchini
3 rote Zwiebeln
2 Knoblauchzehen
1 El Speiseöl
125 ml Weißwein
150 ml Gemüsebrühe
100 ml Tomatensaft
6 El Apfelessig
2 El Tomatenmark
1/4 Tl schwarzer Pfeffer
1/4 Tl Cayennepfeffer
Salz
3 Tl gerebelter Thymian
1–2 Tl Italienische Kräuter
120 g brauner Zucker

Pro Glas ca. 440 kcal/920 kJ
3 g E, 5 g F, 90 g KH

Paprikaschoten halbieren, mit dem restlichen Gemüse putzen, waschen und in feine Würfel schneiden. Zwiebeln und Knoblauch schälen, Zwiebeln fein würfeln und Knoblauch zerdrücken. Beides in erhitztem Öl andünsten und die Gemüsewürfel zugeben.
Mit Weißwein, Gemüsebrühe, Tomatensaft und Essig ablöschen und Tomatenmark zugeben. Relish mit Gewürzen und Kräutern pikant abschmecken, unter Rühren ca. 10 Minuten köcheln lassen.
Zucker zugeben, Relish weitere 10 Minuten kochen und wie Marmelade noch heiß in vorbereitete Gläser füllen. Die Gläser verschließen und nach Wunsch einkochen.

Salsa aus Papaya und Zwiebeln

450 g Papayafleisch
2 Zwiebeln
2 Peperoni aus dem Glas
Salz
1 Prise Zucker
1 Tl Senfmehl
1 El Weißwein-Essig

Pro Portion ca. 28 kcal/117 kJ
1 g E, 0 g F, 5 g KH

Das Papayafleisch in kleine Stücke schneiden. Die Zwiebeln schälen und fein hacken.
Die Peperoni abtropfen lassen und fein würfeln. Papaya, Peperoni und Zwiebeln mit den übrigen Zutaten mischen und über Nacht ziehen lassen.

Ananas-Relish

250 g frische Ananas
250 g Fenchelknolle
1 Zwiebel
1/8 l Weinessig
100 g Zucker
1/2 Bund Dill

Pro Portion ca. 668 kJ/l 59 kcal
2 g E, 0,3 g F, 35 g KH

Die Ananas schälen und in Würfel schneiden. Die Fenchelknolle putzen, waschen und ebenfalls in Würfel schneiden. Die Zwiebel schälen und fein würfeln.
Die Ananas-, Fenchel- und Zwiebelwürfel zusammen mit dem Essig und Zucker in einen Topf geben und zum Kochen bringen. Die Temperatur herunterschalten und das Relish ca. 10 Minuten köcheln lassen, bis es die gewünschte Konsistenz erreicht hat.
Den Dill waschen, trockenschleudern, fein hacken und unter das Relish geben. Das Relish vor dem Servieren abkühlen lassen.

Pesto

Für 1 Glas à 230 ml

10 Knoblauchzehen

200 g Pinienkerne

2–3 Bund frisches Basilikum (ca. 40–50 Blätter)

1 Tl grobes Meersalz

3 El klein gewürfelter Pecorino

3 El Parmesankäse

1/4 l Olivenöl (kaltgepresst)

Pro Portion ca. 518 kcal/2176 kJ
17 g E, 11 g F, 86 g KH

Die Knoblauchzehen schälen und mit den Pinienkernen grob hacken und im Mörser zerstoßen. Die Basilikumblätter nur trockentupfen. Dann in Streifen schneiden und zusammen mit Salz im Mörser zerreiben. Herausnehmen und zur Seite stellen.
Anschließend den Käse ebenfalls im Mörser zerstoßen. Olivenöl in den Aufsatz der Küchenmaschine geben, bei kleinster Stufe laufen lassen und alle zerkleinerten Zutaten hineingeben.

Relish mit Maisbrotecken

600 ml Milch
Salz
100 g Maisgrieß
20 g Butter
3 rote Zwiebeln
1 El Olivenöl
450 g Eiertomaten
1 fein gehackte rote Chilischote
1 El Rohrzucker
1 El Rotweinessig
etwas Öl zum Einfetten
Öl zum Frittieren
Dill zum Garnieren

Pro Portion ca. 338 kcal/1418 kJ
9 g E, 19 g F, 33 g KH

Eine Auflaufform (ca. 30 x 20 cm) leicht mit Öl einfetten. Die Milch mit 1 Prise Salz aufkochen und unter Rühren den Maisgrieß langsam hineinstreuen. Anschließend etwa 20 Minuten weiterrühren, bis er sich vom Topf löst. Vom Herd nehmen und die Butter unterrühren.
Maisgrieß in der Auflaufform verteilen, Oberfläche glatt streichen und 2 Stunden kalt stellen.
Für das Relish die Zwiebeln schälen und klein hacken. Anschließend in dem Öl etwa 3 Minuten anbraten. Die Tomaten waschen, abtrocknen und grob hacken. Tomaten, Chili, Zucker und Essig zugeben und alles 20 Minuten köcheln lassen, bis es dicklich wird. Ab und zu umrühren. Mit Salz abschmecken.
Aus dem Maisbrei Dreiecke schneiden und im heißen Öl portionsweise frittieren. Auf Küchenpapier abtropfen lassen.
Die Maisbrotecken mit Relish betupfen und mit Dill garnieren.

Rotes Knoblauch-Relish

2 rote Paprikaschoten
250 g Tomaten
300 g rote Zwiebeln
10–12 Knoblauchzehen
2 rote Chilischoten
2 Tl Zucker
1 El Butter
2 El Brühe
2 El Öl
1 El Essig
1 El Salz
2 El scharfer Senf

Pro Portion ca. 146 kcal/612 kJ
3 g E, 9 g F, 12 g KH

Die Paprikaschoten putzen, waschen und halbieren, den Stielansatz entfernen, die Hälften anschließend entkernen und in kleine Würfel schneiden. Die Tomaten kreuzweise einritzen, den Stielansatz entfernen, mit kochendem Wasser überbrühen, häuten und ebenfalls klein würfeln.

Die Zwiebeln schälen, halbieren und in hauchdünne Scheiben hobeln. Den Knoblauch schälen und durch eine Presse drücken. Die Chilischoten putzen, längs halbieren, Stielansatz und Kerne entfernen und klein würfeln.

In einer Pfanne den Zucker mit der Butter unter Rühren karamellisieren lassen. Die Zwiebeln mit dem Knoblauch zugeben und mit der Brühe glasig dünsten.

Das Öl stark erhitzen, Paprika, Tomaten und Chili nacheinander zugeben und darin anbraten. Die Zwiebeln mit dem Sud unterrühren. Mit Essig, Salz und Senf würzen. Alles so lange köcheln lassen, bis die Flüssigkeit verdampft ist. Mit indischem Fladenbrot servieren.

Minze-Frucht-Relish

200 g Minze
2 Birnen
200 g Stachelbeeren
200 g Pflaumen
4 El Zitronensaft
3 El feiner Zucker
5 grüne Chilis
3 El frisch geriebener Ingwer
je 2 El Koriander- und Kreuzkümmelsamen
8 grüne Kardamomkapseln
2 Zimtstangen
Minze, Zimtstangen und Limettenspalten zum Garnieren

Pro Portion ca. 105 kcal/441 kJ
3 g E, 1 g F, 26 g KH

Die Minze waschen, trocknen und die Blättchen abzupfen. Die Birnen waschen, schälen, halbieren, das Kerngehäuse entfernen und das Fruchtfleisch in Stücke schneiden.
Die Stachelbeeren waschen und trocknen. Die Pflaumen waschen, trocknen, halbieren, entkernen und ebenfalls in Stücke schneiden.
Die Minzblätter und das Obst zusammen mit dem Zitronensaft und dem Zucker in eine Schüssel geben. Die Chilis längs halbieren, entkernen, waschen und in Streifen schneiden. Zum Obst geben und alles pürieren.
Ingwer, Koriander, Kreuzkümmel und Kardamom in einer Pfanne ohne Fett anrösten, kurz abkühlen lassen und mahlen. Mit den Zimtstangen zum Fruchtpüree geben und alles mindestens 5 Minuten ziehen lassen.
Vor dem Servieren die Zimtstangen entfernen. Das Relish mit Minze, Zimtstangen und einigen Limettenspalten garniert servieren.

Mango-Salsa mit Maisküchlein

3 El feiner Maisgrieß
60 g Mehl
Salz
1/4 Tl Backpulver
1 Ei
5–6 El Milch
125 g frische Maiskörner
Öl zum Braten
1/2 Mango
1 kleine rote Schalotte
1 grüne Chili
Saft von 1/2 Zitrone
Salz, Cayennepfeffer
150 ml Crème fraîche
Petersilie zum Garnieren

Pro Portion ca. 328 kcal/1376 kJ
8 g E, 15 g F, 40 g KH

Maisgrieß, Mehl, Salz und Backpulver in eine Schüssel geben. Mit Ei und Milch glatt verrühren. Die frischen Maiskörner unterrühren.

Etwas Öl in einer Pfanne erhitzen und aus dem Teig nacheinander sehr kleine Plätzchen backen. Herausnehmen und auf Küchenpapier abtropfen lassen.

Für die Salsa die Mango schälen und das Fruchtfleisch klein würfeln. Die Schalotte schälen und fein hacken. Die Chili putzen, waschen und halbieren, den Stielansatz und die Kerne entfernen und die Schoten klein hacken. Alles mit Zitronensaft vermischen und mit Salz und Cayennepfeffer abschmecken.

Die Küchlein mit Crème fraîche und Salsa anrichten und mit Petersilie garniert servieren.

Salsa al ajillo

Für 4 Portionen
1/2 Knolle Knoblauch
Salz
30 g grüne Oliven
100 g Kapern aus dem Glas
ca. 500 ml kalt gepresstes Olivenöl
4 Eigelb
schwarzer Pfeffer
etwas Zitronensaft

Pro Portion ca. 673 kcal/2825 kJ
4 g E, 72 g F, 5 g KH

Den Knoblauch schälen, in Zehen teilen und mit etwas Salz mit einem Pürierstab zerkleinern. Die Oliven entsteinen und dazugeben. Die Kapern abtropfen lassen und ebenfalls hinzufügen.
Alles mit so viel kalt gepresstem Olivenöl pürieren, bis es eine cremige Konsistenz hat.
Das Eigelb dazugeben und alles kräftig mixen, bis die Masse sich gut verbunden hat. Mit Salz, frisch gemahlenem Pfeffer und Zitronensaft abschmecken.
Im Kühlschrank ist die Sauce 3–4 Tage haltbar. Sie schmeckt besonders gut zu gegrillten Fleisch- oder Fischspießchen.

Paprika-Salsa mit Tintenfisch

500 g kleine Tintenfische
1 kleine Zwiebel
4 Knoblauchzehen
4 El Olivenöl
Meersalz
6 Stiele Petersilie
2 Tl scharfes Paprikapulver
1/2 getrocknete rote Chilischote
150 ml Fischfond

Pro Portion ca. 213 kcal/895 kJ
23 g E, 8 g F, 13 g KH

Die Tintenfische gründlich putzen, waschen und gut abtropfen lassen, anschließend in Stücke schneiden. Die Zwiebel und den Knoblauch schälen und fein hacken.
Das Olivenöl erhitzen und den Tintenfisch darin anbraten. Zwiebel und Knoblauch dazugeben und mitbraten. Alles mit Meersalz salzen. Die Petersilie waschen, trockenschütteln und klein hacken. Petersilie mit dem Paprikapulver und der zerkrümelten Chilischote dazugeben. Den Fischfond oder etwas Wasser angießen.
Zugedeckt etwa 1 Stunde langsam schmoren lassen. Vor dem Servieren den Sud einkochen lassen. Mit Salz abschmecken und den Tintenfisch mit Brot servieren.

Kap-Malaiische Grillsauce

8 Frühlingszwiebeln
1 Knoblauchzehe
1 Tl Aprikosenmarmelade
1 Tl scharfer Senf
1 Tl Worcestersauce
3 El Rotweinessig
3 El Olivenöl
200 ml Tomatenketchup
Pfeffer
Salz

Pro Portion ca. 114 kcal/477 kJ
2 g E, 3 g F, 19 g KH

Die Frühlingszwiebeln putzen, waschen und klein schneiden. Den Knoblauch schälen und fein hacken.
Die Aprikosenmarmelade mit dem Senf, der Worcestersauce, dem Rotweinessig und dem Öl verrühren.
Den Tomatenketchup dazugeben und unterrühren. Alles mit Pfeffer und Salz pikant abschmecken.
Die Frühlingszwiebeln und den Knoblauch zur Sauce dazugeben und unterheben. Die Sauce abgedeckt mindestens 4 Stunden durchziehen lassen.

Chili-Koriander-Sauce

75 g grüne Chili
1 Zwiebel
8–10 Knoblauchzehen
1 Stück frischer Ingwer, ca. 7 cm
125 ml Olivenöl
75 ml Balsamico-Essig
125 ml Weinessig
50 g Zucker
Salz
2 Bund Koriander oder Petersilie

Pro Portion ca. 138 kcal/580 kJ
3 g E, 4 g F, 21 g KH

Die Chilis putzen, waschen und halbieren, den Stielansatz und die Kerne entfernen. Die Zwiebel und den Knoblauch schälen und fein hacken. Den Ingwer schälen und fein reiben.
Etwas Öl in einem Topf erhitzen. Zwiebeln, Knoblauch und Ingwer darin andünsten, bis die Zwiebel glasig ist. Chilihälften dazugeben und Balsamico- und Weinessig angießen.
Den Zucker dazugeben und darunter rühren. Alles mit Salz abschmecken. Unter Rühren auf etwa die Hälfte reduzieren lassen.
Das restliche Olivenöl hinzugießen und aufkochen lassen. Vom Herd nehmen und alles fein pürieren. Den Koriander oder die Petersilie waschen, trockenschütteln und fein pürieren. Die Kräuterpüree zur Sauce dazugeben und unterrühren.

Salsa nach klassischer Art

5 Knoblauchzehen
Salz
2 Eigelb
etwas Zitronensaft
150 ml kalt gepresstes Olivenöl

Pro Portion ca. 338 kcal/1418 kJ
17 g E, 37 g F, 1 g KH

Den Knoblauch schälen und in einen Mörser geben. Mit etwas Salz zu einer sehr feinen Paste zerstampfen. Eigelb und etwas Zitronensaft dazugeben und damit gut vermengen. Anschließend unter ständigem Rühren nach und nach das kalt gepresste Olivenöl dazutropfen lassen und untermischen.
Soll die Sauce etwas dicker sein, die Sauce mit dem Püree von einer frisch gekochten Kartoffel binden.
Die Sauce schmeckt zu Kartoffeln, allen Sorten von warmem oder kaltem Fisch und zu Schnecken.

Chutney aus grünen Tomaten

Für 7–8 Gläser à 230 ml
1,5 kg grüne Tomaten
500 g Zwiebeln
1/2 Tl Salz
100 g getrocknete Datteln
500 ml Essig
300 g Zucker
1 El Senf
1/2 El Currypulver
1/2 El Cayennepfeffer
1/2 El gemahlenes Kurkuma
1/2 El gemahlener Ingwer
edelsüßes Paprikapulver

Pro Glas ca. 136 kcal/568 kJ
6 g E, 1 g F, 20 g KH

Tomaten waschen, Zwiebeln schälen, beides grob würfeln, einsalzen und zugedeckt über Nacht ziehen lassen. Anschließend die Flüssigkeit abgießen. Datteln entkernen, klein würfeln und mit Essig, Zucker und Tomaten-Zwiebel-Mischung zum Kochen bringen.

1 Stunde ohne Deckel köcheln lassen, ab und zu umrühren. Nach 45 Minuten Senf und Gewürze zugeben. Zum Eindicken weitere 5–7 Minuten bei großer Hitze unter Rühren kochen. Sofort in Twist-Off-Gläser füllen, fest verschließen und 5 Minuten auf den Deckel gewendet stehen lassen.

Wenn zum Ende des Sommers die letzten Tomaten nicht mehr reif werden, gibt es kein besseres Rezept als das Chutney aus grünen Tomaten. Es ist einfach herzustellen und schmeckt vortrefflich zu kurzgebratenem Fleisch.

Kürbis-Tomaten-Chutney

Für 6 Gläser à 230 ml
4–6 Tomaten (ca. 600 g)
800 g Kürbisfleisch
4 Zwiebeln
4 Knoblauchzehen
Pflanzenöl
2 El Senfpulver
2 Tl zerstoßene Pfefferkörner
1–2 Zimtstangen
Salz
400 g Zucker
4–5 El Essig

Pro Glas ca. 518 kcal/2174 kJ
6 g E, 1 g F, 118 g KH

Die Tomaten kreuzweise einritzen, mit kochendem Wasser überbrühen, häuten und die Stielansätze entfernen. Tomaten entkernen und das Fruchtfleisch in Würfel schneiden.
Das Kürbisfleisch in Würfel schneiden. Zwiebeln und Knoblauch schälen und hacken.
Etwas Öl erhitzen. Knoblauch und Zwiebeln darin ca. 2–3 Minuten glasig dünsten. Anschließend die restlichen Zutaten zufügen und unter ständigem Rühren mitschmoren. Das Gemüse einmal aufkochen lassen und dann bei geringer Hitze ca. 30 Minuten zu einem dicklichen Chutney einkochen lasse.
Das Chutney noch heiß in die gespülten Gläser füllen und gut verschließen. Kühl gelagert hält sich das Chutney ca. 3–4 Monate. Es schmeckt wunderbar zu Fleisch- und Fischgerichten.

Salsa verde

3 Eier
1 große Knoblauchknolle
1 Zwiebel
2 Bund Petersilie
250 ml Olivenöl
Salz
ca. 150 ml Gemüse- oder Fleischbrühe

Pro Portion ca. 415 kcal/1743 kJ
6 g E, 43 g F, 2 g KH

Die Eier 10 Minuten kochen lassen, anschließend abschrecken und pellen. Inzwischen den Knoblauch und die Zwiebel schälen und fein hacken. Die Petersilie waschen, trockenschütteln und klein hacken.
Das Olivenöl in einer Pfanne erhitzen. Den Knoblauch mit der Zwiebel darin goldbraun braten. Etwas abgekühlt in einen Mörser oder Mixer geben.
Die Petersilie mit den grob zerkleinerten Eiern dazu geben und alles zu einer Paste verarbeiten oder pürieren. So viel Brühe darunter rühren, dass die Sauce die richtige Konsistenz erhält.

Tomaten-Chutney

Für 4 Gläser à 250 ml
750 g Tomaten
500 g Zwiebeln
250 g säuerliche Äpfel
200 ml Weißweinessig
250 g Kandiszucker
1 gestrichener El Salz
2 El edelsüßes Paprikapulver
1/2 Tl Chilipulver
je 1 Msp. Nelken- und Pimentpulver

Pro Portion ca. 432 kcal/1816 kJ
4 g E, 2 g F, 70 g KH

Die Tomaten kreuzweise einritzen, mit kochendem Wasser überbrühen, häuten und vierteln. Die Zwiebeln schälen und würfeln. Äpfel schälen und grob reiben.
Vorbereitete Zutaten mit Essig in einem Topf unter Rühren aufkochen, Kandiszucker und Salz zugeben. Alles unter gelegentlichem Umrühren bei mittlerer Hitze ca. 40 Minuten einkochen lassen und mit den Gewürzen abschmecken.
Chutney in heiß ausgespülte Gläser füllen. Die Chutney schmeckt sehr gut zu Kurzgebratenem oder frischem Ciabatta oder Focaccia. In einem schönen Glas ist dieses Tomaten-Chutney ein tolles Mitbringsel für Freunde.

Tomatensalsa mit Artischockenherzen

ca. 16 Artischockenherzen a. d. Dose

2 Zwiebeln

2 Knoblauchzehen

4 Tomaten

etwas Öl zum Braten

3 El Sherryessig

50 ml trockener Sherry

4 El Olivenöl

3 El gehackte gemischte Kräuter, z.B. Basilikum, Majoran, Petersilie, Thymian

Salz

1 Prise Zucker

schwarzer Pfeffer

Pro Portion ca. 81 kcal/340 kJ
3 g E, 3 g F, 7 g KH

Artischocken abtropfen lassen, anschließend halbieren und beiseitestellen. Zwiebeln und Knoblauch schälen und fein hacken.
Tomaten 30 Sekunden mit kochendem Wasser überbrühen, anschließend häuten und halbieren, Stielansatz und Kerne entfernen und das Fruchtfleisch klein würfeln.
Öl erhitzen, Zwiebeln und Knoblauch dazugeben und glasig anbraten. Tomaten hinzugeben und etwa 8 Minuten mitschmoren. Vom Herd nehmen und erkalten lassen.
Sherryessig und Sherry vermischen, das Olivenöl langsam darunterschlagen und alles unter die Tomatensalsa rühren. Gehackte Kräuter unterrühren. Salsa mit Salz, Zucker und Pfeffer abschmecken, anschließend dicklich einköcheln lassen.
Artischockenherzen in einer flachen Form anrichten und mit der Tomatensauce übergießen. Zugedeckt mindestens 3 Stunden im Kühlschrank durchziehen lassen. Mit kräftigem Bauernbrot servieren.

Zucchini-Zwiebel-Relish

Für 6 Gläser à 250 ml
1 kg Zucchini
1 kg Zwiebeln
125 ml Rapsöl
3 rote Chilischoten
3 Knoblauchzehen
125 ml trockener Sherry
100 ml Weißweinessig
Salz
Pfeffer
3 El Zucker

Pro Glas ca. 464 kcal/1953 kJ
7 g E, 33 g F, 20 g KH

Die Zucchini putzen, waschen und fein würfeln. Die Zwiebeln schälen und ebenfalls fein würfeln.
Zucchini- und Zwiebelwürfel bei milder Hitze unter Rühren ca. 10 Minuten in Rapsöl dünsten.
Inzwischen die Chilis putzen, waschen, entkernen und in feine Ringe schneiden. Knoblauch schälen und fein hacken. Beides mit Sherry, Essig, Salz, Pfeffer und Zucker verrühren. Zum Gemüse geben und weitere 20 Minuten dünsten. Danach in Gläser füllen und gut verschließen.

Salsa aus Paprikaschoten

300 g grüne Paprika
2 Zwiebeln
4 Tomaten (aus der Dose)
2 Peperoni aus dem Glas
Salz
1 Prise Zucker
1 Tl Senfmehl
1 El Weißwein-Essig

Pro Portion ca. 32 kcal/134 kJ
1 g E, 0 g F, 4 g KH

Die Paprika putzen, entkernen und in kleine Stücke schneiden. Die Zwiebeln schälen und fein hacken. Tomaten pürieren. Peperoni abtropfen lassen und fein hacken.
Paprika, Zwiebeln, Peperoni und Tomatenpüree mit den übrigen Zutaten mischen und über Nacht ziehen lassen.

Salsa aus Tomatillos

400 g Tomatillos
2 Zwiebeln
2 Peperoni aus dem Glas
Salz
1 Prise Zucker
1 Tl Senfmehl
1 El Weißwein-Essig

Pro Portion ca. 25 kcal/105 kJ
1 g E, 0 g F, 31 g KH

Die Tomatillos heiß überbrühen, von Haut und Kernen befreien und in Stücke schneiden. Zwiebeln schälen und hacken. Die Peperoni abtropfen lassen und fein hacken. Alle Zutaten mischen und über Nacht ziehen lassen. Anschließend pürieren.

Tomaten-Salsa mit Spargel-Frittata

500 g grüner Spargel
100 ml Sahne
2 El Butter
6 Eier
1 El Mehl
Salz, Pfeffer
100 g frisch geriebener Gruyère
3 Tomaten
1 Schalotte
1 Knoblauchzehe
4 getrocknete Tomaten
1 El Rotwein-Essig
3 El Olivenöl

Pro Portion ca. 333 kcal/1396 kJ
21 g E, 24 g F, 8 g KH

Den Backofen auf 180 °C vorheizen. Spargel waschen, im unteren Drittel schälen und holzige Enden entfernen. Spargel in Stücke schneiden. Die Sahne steif schlagen.

Butter in einer ofenfesten Pfanne erhitzen und die Spargelstücke darin andünsten. Eier mit Mehl, Gewürzen und Käse verquirlen und die Sahne unterheben. Masse zum Spargel geben und vermischen. Die Frittata im Ofen etwa 15 Minuten stocken lassen, bis die Oberfläche gebräunt ist.

Tomaten kreuzweise einritzen, mit kochendem Wasser überbrühen, von Haut, Stielansätzen und Kernen befreien und fein würfeln. Schalotte und Knoblauch schälen und mit den getrockneten Tomaten fein hacken. Diese Zutaten mit Essig und Olivenöl mischen und mit Salz und Pfeffer würzen.

Frittata in Streifen schneiden und mit der Tomatensalsa servieren.

Salsa aus frischen Tomaten

450 g Tomaten
1/2 Bund Frühlingszwiebeln
1 grüne Paprikaschote
6 Stiele frischer Koriander
2 Peperoni aus dem Glas
Salz
1 Prise Zucker
1 Tl Senfmehl
1 El Weißwein-Essig

Pro Portion ca. 51 kcal/214 kJ
2 g E, 1 g F, 6 g KH

Die Tomaten gut waschen, kreuzweise einritzen, mit kochendem Wasser überbrühen, von Stielansätzen, Kernen und Häuten befreien und fein hacken. Frühlingszwiebeln putzen, waschen und fein hacken. Paprika putzen und ebenfalls hacken.
Korianderstiele waschen, trockenschütteln und Blättchen von den Stielen zupfen, dann hacken. Peperoni abtropfen lassen und in der Küchenmaschine zerkleinern.
Alle Gemüsesorten mit den Gewürzen und Essig mischen und über Nacht ziehen lassen. Dann als Beilage zu Fleisch- und Fischgerichten servieren.

Mango-Relish

1 Mango
1 Schalotte
4 EL Rotweinessig
4 EL Weißweinessig
1 TL Currypulver
Salz
Pfeffer
2 EL Zucker

Pro Portion ca. 346 kJ/82 kcal
0,6 g E, 0,1 g F, 18 g KH

Mango schälen, entkernen und in Würfel schneiden. Schalotte schälen, fein würfeln und mit den Mangowürfeln, dem Rotweinessig, dem Weißweinessig, dem Currypulver, Salz, Pfeffer und dem Zucker in einen Topf geben und zum Kochen bringen.

Die Temperatur herunterschalten und das Relish so lange köcheln lassen, bis die gewünschte Konsistenz erreicht ist. Das Relish vor dem Servieren abkühlen lassen.

Melonen-Relish

1 kleine Honigmelone (250 g)
2 Zwiebeln
1 Chilischote
50 g Rosinen
1/8 l Essig
100 g Zucker
1 TL Currypulver
Salz

Pro Portion ca. 758 kJ/180 kcal
1 g E, 1 g F, 40 g KH

Das Fruchtfleisch der Honigmelone in Würfel schneiden. Die Zwiebeln und die Chilischote würfeln und zusammen mit den Melonenwürfeln, den Rosinen, dem Essig, dem Zucker, dem Currypulver und Salz in einen Topf geben und zum Kochen bringen.
Die Temperatur herunterschalten und das Relish so lange köcheln lassen, bis die gewünschte Konsistenz erreicht ist. Das Relish vor dem Servieren abkühlen lassen.

Saucen für Fleisch, Wild und Geflügel

Grüne Pfeffersauce

1 fein gehackte Zwiebel
1 El Distelöl
50 ml Weißwein
100 ml Rinderbrühe
3 El Calvados
125 ml Sahne
2 Tl grüner Pfeffer
3 El helle Grundsauce (von S. 9)
Salz, Pfeffer

Pro Portion ca. 157 kcal/660 kJ
3 g E, 12 g F, 4 g KH

Zwiebel im heißen Öl andünsten. Weißwein, Brühe und Calvados angießen und etwas einkochen lassen. Sahne dazugeben. Pfefferkörner unterheben und mit heller Grundsauce verfeinern. Mit Salz und Pfeffer würzen.

Zigeunersauce

20 g Butter
10 g Mehl
375 ml Rinderfond
2 Scheiben gekochter Schinken in Streifen
5 geputzte Champignons in Scheiben
2 El Madeira
Salz
Cayennepfeffer
3 El Tomaten-Grundsauce (von S. 9)

Pro Portion ca. 139 kcal/583 kJ
10 g E, 9 g F, 5 g KH

Butter schmelzen und mit dem Mehl eine Mehlschwitze herstellen. Mit Rinderfond aufgießen und unter Rühren aufkochen. 10 Minuten köcheln. Schinken und Champignons zugeben, mit Madeira und Gewürzen abschmecken, mit Tomatensauce verfeinern.

Parmesan-Salbei-Sauce

2 El Salbeiblätter in Streifen
1 El Butter
250 ml Gemüsebrühe
150 g Crème fraîche
80 g frisch geriebener Parmesan
2 El helle Grundsauce (von S. 9)
Salz, Pfeffer

Pro Portion ca. 234 kcal/983 kJ
8 g E, 22 g F, 2 g KH

Die Salbeiblätter in der heißen Butter anschmoren. Brühe und Crème fraîche zugeben und etwas einkochen. Helle Grundsauce unterheben und Käse unter Rühren darin schmelzen. Mit Salz und Pfeffer abschmecken. Passt zu Kalbfleisch.

Karibische Obstsauce

1/2 gewürfelte Babyananas
1 geschälte Nektarine in Spalten
50 g Erdbeeren
2 El Zitronensaft
400 ml Blutorangensaft
1/2 Bund gehackte Zitronenmelisse
2 El brauner Zucker
3 El Tomaten-Grundsauce (von S. 9)

Pro Portion ca. 94 kcal/395 kJ
1 g E, 1 g F, 21 g KH

Das Obst mit Zitronensaft im Blutorangensaft 15 Minuten garen. Pürieren, Zitronenmelisse und Zucker unterrühren. Mit Tomaten-Grundsauce verfeinern. Passt zu Hirsch.

Morchelsauce

15 g getrocknete Morcheln
2 El Butter
1 gehackte Schalotte
2 cl Weißwein
1 cl Cognac
250 ml weiße Buttersauce (von S. 11)
100 ml Crème fraîche
1 Eigelb
Salz, Pfeffer

Pro Portion ca. 430 kcal/1806 kJ
5 g E, 45 g F, 3 g KH

Morcheln einweichen. Schalotte in 2 El Butter andünsten. Abgetropfte Morcheln zugeben und mitschmoren, das Einweichwasser aufheben. Wein und Cognac unterrühren. Gefiltertes Pilzwasser angießen, einkochen. Buttersauce und mit Ei verquirlte Crème fraîche unterheben, würzen.

Sanddornsauce

1 gewürfelte Mango
300 ml Geflügelbrühe
100 ml Weißwein
4 El Campari
2 El Sanddorngelee
Salz, Pfeffer
Currypulver
3 El Tomaten-Grundsauce (von S. 9)

Pro Portion ca. 131 kcal/548 kJ
5 g E, 6 g F, 10 g KH

Mango in Brühe und Wein erhitzen und den Campari unterrühren. Sauce etwas einkochen. Sanddorngelee und Gewürze zugeben und mit Tomaten-Grundsauce abschmecken.

Pastis-Senf-Sauce

200 ml Rinderfond
150 ml Sauerkrautsaft
2 Gewürznelken
1 Lorbeerblatt
2 rote Zwiebeln in Ringen
2 Lauchstangen in Ringen
4 El Sherry
1/2 Bund gehackter Estragon
3 El Dijonsenf
Salz, Pfeffer
Paprikapulver
3 El helle Grundsauce (von S. 9)
2 El Pastis

Pro Portion ca. 95 kcal/400 kJ
7 g E, 3 g F, 8 g KH

Rinderfond, Sauerkrautsaft, Nelken und Lorbeer aufkochen und 15 Minuten einkochen. Zwiebel- und Lauchringe zugeben und 5 Minuten köcheln. Sherry, Estragon, Senf und Gewürze zufügen. Sauce durchsieben und mit heller Grundsauce andicken. Pastis unterrühren. Passt zu Roastbeef.

Karamellsauce

2 El Zucker
2 El Butter
2 rote Zwiebeln in Ringen
200 ml Rote-Bete-Saft
200 ml Rotwein
2 El Sherryessig
1/2 Bund gehackte Petersilie
3 El rote Buttersauce
(von S. 11)
Salz, Pfeffer

Pro Portion ca. 103 kcal/431 kJ
3 g E, 3 g F, 8 g KH

Zucker in der heißen Butter karamellisieren, Zwiebelringe dazugeben. Saft und Rotwein unterrühren, Essig zugeben und alles etwas einkochen. Petersilie unterheben. Mit roter Buttersauce abschmecken. Passt zu Brathähnchen.

Nuss-Sambal-Sauce

2 gewürfelte Schalotten
1 gehackte Knoblauchzehe
2 El Öl
1 El geriebener Ingwer
1 Tl gemahlene Muskatblüte
1/2 Tl Kurkuma
1 Tl Zitronensaft
400 ml Geflügelfond
2 El gehackte Cashewkerne
1/2 Tl Sambal oelek
3 El Tomatensauce (von S. 9)
Salz, Pfeffer

Pro Portion ca. 165 kcal/693 kJ
7 g E, 13 g F, 5 g KH

Schalotten und Knoblauch im heißen Öl andünsten, Gewürze mischen und mit Zitronensaft unterrühren. Fond angießen und etwas einkochen lassen. Cashewkerne und Sambal einrühren und mit Tomatensauce andicken. Abschmecken. Passt zu gebratener Putenbrust.

Sangritasauce

1 gewürfelte Zwiebel
2 El Butter, 400 ml Sangrita
1/2 Bund gehackter Salbei
2 El schwarzes Johannisbeergelee
1 El Crème fraîche
3 El braune Grundsauce (von S. 9)
Salz, Pfeffer

Pro Portion ca. 155 kcal/650 kJ
1 g E, 6 g F, 8 g KH

Zwiebel in der heißen Butter andünsten, Sangrita zugießen und etwas einkochen. Salbei zugeben und 5 Minuten köcheln. Gelee und Crème fraîche unterrühren, mit Grundsauce andicken und würzen.

Mango-Senf-Sauce

2 kleine Mangos
125 ml Weißwein
3 El süßer Senf
1–2 El helle Grundsauce (von S. 9)
Salz
schwarzer Pfeffer
1 Prise Cayennepfeffer

Pro Portion ca. 79 kcal/330 kJ
1 g E, 1 g F, 11 g KH

Mangos schälen, das Fruchtfleisch würfeln. Mit Wein 10 Minuten dünsten. Abkühlen lassen, dann pürieren. Senf unterheben und mit heller Grundsauce abschmecken. Würzen. Passt zu kaltem Braten und Geflügel.

Cassissauce

2 El Aceto balsamico
4 El Cassislikör
100 ml Rinderbrühe
100 ml Geflügelfond
3 El Crème fraîche
1 El schwarzes Johannisbeergelee
1/2 Tl Dijonsenf
Salz
weißer Pfeffer
rote Johannisbeeren zum Garnieren

Pro Portion ca. 77 kcal/321 kJ
3 g E, 4 g F, 4 g KH

Essig mit Cassis, Brühe und Fond aufkochen und sirupartig einkochen lassen. Crème fraîche und Johannisbeergelee einrühren und mit Senf, Salz und Pfeffer abschmecken.

Trüffelsauce

40 g schwarze Trüffel
2 El Butter
4 El Portwein
100 ml Rotwein
100 ml Fleischbrühe
3 El braune Grundsauce (von S. 9)
Salz, Pfeffer
1 El kalte Butter

Pro Portion ca. 114 kcal/477 kJ
3 g E, 8 g F, 3 g KH

Die Trüffel putzen und in feine Streifen schneiden. In der heißen Butter kurz dünsten, dann Port- und Rotwein sowie Brühe angießen und etwas einkochen. Mit brauner Grundsauce andicken und würzen. Kalte Butter unterheben. Passt zu Perlhuhn.

Minzesauce

2 gewürfelte Schalotten
1 El Butter
20 gehackte Minzeblätter
10 zerstoßene Pfefferkörner
4 El Weißwein
3 El weißer Aceto balsamico
3 El Sauce Béarnaise (von S. 10)
Salz, Pfeffer

Pro Portion ca. 81 kcal/338 kJ
1 g E, 7 g F, 2 g KH

Schalotten in heißer Butter andünsten, Minzeblätter und Pfeffer zugeben, Wein und Essig angießen. Sauce bis auf ein Drittel einkochen. Durchsieben und mit Sauce Béarnaise auffüllen, würzen. Passt zu Lamm.

Apfelsauce

500 g geschälte und gehackte Kochäpfel
3 El Honig
2 El Weißwein
3 Nelken
1 Stück Zimtstange (ca. 5 cm)
abgeriebene Zitronenschale
3 El Butter
3 El saure Sahne

Pro Portion ca. 158 kcal/662 kJ
1 g E, 7 g F, 21 g KH

Äpfel mit Honig und Wein in einem Topf mit Nelken, Zimt und Zitronenschale aufkochen und etwa 15 Minuten köcheln. Nelken und Zimt herausnehmen, Sauce pürieren, erhitzen, Butter und saure Sahne unterheben. Passt zu gebratenem Schweinefleisch.

Sauerkirschsauce

1 El Zucker
Schale von 1/2 Orange in Streifen
200 g Sauerkirschen (Glas)
200 ml Wildfond
1 El weiße Buttersauce (von S. 11)
100 ml Sahne
1 El Kirschwasser
Salz
Cayennepfeffer

Pro Portion ca. 167 kcal/702 kJ
5 g E, 12 g F, 10 g KH

Zucker karamellisieren, Orangenschale und Kirschen untermischen. Wildfond zugeben und etwas einkochen. Buttersauce und Sahne einrühren und 5 Minuten köcheln. Mit Kirschwasser und Gewürzen abschmecken.

Schneckensauce

2 gewürfelte Schalotten

150 g geschnittene Weinbergschnecken in Kräutern (Dose)

3 El Kräuterbutter

1/4 Bund gehackte gemischte Kräuter

300 ml Gemüsefond

100 ml Weißwein

3 El Sauce Béarnaise (von S. 10)

Salz, Pfeffer

Pro Portion ca. 180 kcal/753 kJ
6 g E, 14 g F, 3 g KH

Schalotten und Schnecken in der heißen Butter andünsten. Kräuter, Fond und Wein zugeben, etwas einkochen lassen. Mit Sauce Béarnaise andicken und würzen. Passt zu Kalbfleisch.

Cumberlandsauce

abgeriebene Schale und Saft von 1 Orange

1 gewürfelte Schalotte

4 El Rotwein

150 g Johannisbeergelee

2 El Portwein

1 Tl Cognac

1 Prise gemahlener Ingwer

1/4 Tl Senfpulver

Cayennepfeffer

Pro Portion ca. 143 kcal/600 kJ
1 g E, 1 g F, 31 g KH

Orangenschale mit Schalotte im Rotwein fast vollständig einkochen. Johannisbeergelee mit Portwein und 3 El Orangensaft verrühren. Würzen und mit Rotweinfarce vermischen.

Kapernsauce

3 El Butter
1 gewürfelte Schalotte
3 El abgetropfte Kapern (Glas)
350 ml Kalbsfond
3 El Weißweinessig
1 Bund gemischte gehackte Kräuter
100 ml Sahne
3 El helle Grundsauce (von S. 9)
Salz, Pfeffer

Pro Portion ca. 209 kcal/878 kJ
8 g E, 17 g F, 7 g KH

Schalotte in heißer Butter andünsten, Kapern zugeben. Fond und Essig angießen und 20 Minuten köcheln. Kräuter und Sahne unterheben. Mit heller Grundsauce und Gewürzen abschmecken.

Brombeersauce

200 g Brombeeren
3 El Zucker
3 El Zitronensaft
75 ml brauner Rum
3 El braune Grundsauce (von S. 9)
Salz, Pfeffer

Pro Portion ca. 482 kcal/2022 kJ
91 g E, 26 g F, 8 g KH

Brombeeren verlesen, putzen und waschen. Mit Zucker und Zitronensaft mischen. Rum mit 325 ml Wasser in einem Topf aufkochen, Brombeeren zugeben und 5 Minuten köcheln. Sauce nach Belieben pürieren. Mit brauner Grundsauce andicken und nach Wunsch mit Salz und Pfeffer abschmecken.

Dill-Senf-Sauce

4 gehackte Sardellenfilets
4 hart gekochte Eigelb
1 Tl scharfer Senf
2 El Obstessig
125 ml Distelöl
1/2 Bund gehackter Dill
1/2 Bund gehackte Petersilie
1 El gehackter Estragon
Salz, Pfeffer
Cayennepfeffer

Pro Portion ca. 415 kcal/1743 kJ
14 g E, 40 g F, 2 g KH

Sardellenfilets mit zerdrückten Eigelben, Senf und 1 El Essig verrühren. Das Distelöl tropfenweise mit einem Schneebesen cremig unterschlagen. Kräuter unterheben und die Sauce würzen. Passt zu kaltem Braten.

Hagebuttensauce

1 fein gehackte Zwiebel
1 El Butter
5 El Hagebuttenmus
250 ml Gemüsebrühe
100 ml Rotwein
Salz
schwarzer Pfeffer
2 El Rotweinessig
3 El rote Buttersauce (von S. 11)

Pro Portion ca. 85 kcal/357 kJ
1 g E, 2 g F, 11 g KH

Zwiebel in der heißen Butter andünsten. Hagebuttenmus unterrühren und mit Brühe und Wein aufgießen. 8 Minuten köcheln, dann mit Salz, Pfeffer und Essig abschmecken. Mit roter Buttersauce verfeinern. Passt zu Kalbsleber und Wild.

Pfifferlingsauce

75 g gewürfelter Frühstücksspeck
2 gehackte Zwiebeln
3 El Butter
100 g geputzte Pfifferlinge
200 ml Rotwein
200 ml Wildfond
1/2 Bund gehackte Petersilie
3 El braune Grundsauce (von S. 9)
Kräuterlikör
Salz, Pfeffer
Chilipulver

Pro Portion ca. 285 kcal/1197 kJ
5 g E, 23 g F, 6 g KH

Speck und Zwiebeln in heißer Butter schmoren, Pilze zugeben und mitschmoren. Wein und Fond angießen, Petersilie unterheben. Sauce etwas einkochen, mit brauner Grundsauce andicken und würzen.

Estragonsauce

2 gehackte Schalotten
2 El Sonnenblumenöl
1 gehäutete, gewürfelte Tomate
100 ml Geflügelfond
4 El Wermut
100 ml Weißwein
1 Bund gehackter Estragon
4 El Crème fraîche
Salz, Curry, Cayennepfeffer
Zitronensaft

Pro Portion ca. 128 kcal/538 kJ
2 g E, 10 g F, 4 g KH

Schalotten im heißen Öl andünsten, Tomate zugeben und mitdünsten. Fond, Wermut und Wein zugießen und Estragon unterheben, 20 Minuten köcheln. Mit Crème fraîche und Gewürzen abschmecken.

Madeirasauce

60 g Schinkenspeck in Streifen
2 gewürfelte Schalotten
1 zerdrückte Knoblauchzehe
2 El Olivenöl
4 El Madeira
2 El Aceto balsamico
300 ml Gemüsebrühe
2 El geriebener Parmesan
Salz, Pfeffer
Paprikapulver
3 El Tomaten-Grundsauce (von S. 9)

Pro Portion ca. 137 kcal/575 kJ
6 g E, 11 g F, 3 g KH

Speck, Schalotten und Knoblauch im heißen Öl andünsten. Madeira, Essig und Brühe zugeben und 20 Minuten köcheln. Käse und Gewürze unterrühren und mit Tomatensauce verfeinern.

Grüne Tomatensauce

2 gehackte Zwiebeln
2 gehackte Knoblauchzehen
4 El Olivenöl
500 g gewürfelte grüne Tomaten
250 g gehäutete, gewürfelte Tomaten
125 ml Gemüsefond
3 El Weinessig
2 El Zucker
Salz, Tabasco
1/4 Bund gemischte gehackte Kräuter

Pro Portion ca. 105 kcal/442 kJ
2 g E, 6 g F, 10 g KH

Zwiebeln und Knoblauch im heißen Öl andünsten. Tomaten zugeben und mitdünsten. Fond, Essig, Zucker, Salz und Tabasco zugeben und 20 Minuten köcheln. Sauce passieren und Kräuter unterheben.

Schinken-Kapern-Sauce

2 gehackte Zwiebeln
1/2 Bund gehackte Petersilie
1/2 Bund gehackter Thymian
1 Lorbeerblatt, 1 Knoblauchzehe
125 g gewürfelter roher Schinken
250 ml Weißwein
250 ml braune Grundsauce (von S. 9)
50 g Butter, 2 Tl Paniermehl
4 Tl Kapern (Glas)
Salz, Pfeffer

Pro Portion ca. 285 kcal/1197 kJ
11 g E, 18 g F, 11 g KH

Zwiebeln, Kräuter, Knoblauch und Schinken im Weißwein 10 Minuten köcheln, braune Sauce zugeben und etwas einkochen. Paniermehl in der heißen Butter anrösten und mit den Kapern unter die Sauce rühren. Würzen.

Gemüse-Tomaten-Sauce

50 g Brokkoliröschen
1 gewürfelte Tomate, 1 gestiftete Möhre
50 g klein geschnittene Prinzessbohnen
2 getrocknete Chilischoten
400 ml Kalbsfond
1 Tl Kreuzkümmel
1/4 Tl Kurkuma
2 zerdrückte Knoblauchzehen
3 El Tomaten-Grundsauce (von S. 9)
Salz, Pfeffer, 3 El Öl

Pro Portion ca. 149 kcal/625 kJ
9 g E, 10 g F, 5 g KH

Das Gemüse im heißen Öl andünsten, Chilischoten dazubröseln und mit Kalbsfond ablöschen. Sauce etwas einkochen lassen, Kreuzkümmel, Kurkuma und Knoblauch unterrühren und mit Tomatensauce andicken. Würzen.

Wein-Senf-Sauce

2 El Butter
1 gehackte Zwiebel
1 Bund gehackter Kerbel
1/2 Bund gehackte Petersilie
200 ml Weißwein
200 ml Gemüsebrühe
6 bunte gehackte Pfefferkörner
2 El Limettensaft
2 El süßer Senf, 1 Tl Curry
3 El helle Grundsauce (von S. 9)
Salz, Pfeffer

Pro Portion ca. 116 kcal/485 kJ
1 g E, 6 g F, 6 g KH

Zwiebel und Kräuter in der heißen Butter andünsten, Wein und Brühe zugießen und 10 Minuten köcheln. Pfefferkörner, Limettensaft, Senf und Curry unterrühren und mit heller Grundsauce andicken. Würzen.

Melissensauce

2 gewürfelte Zwiebeln
1 zerdrückte Knoblauchzehe
100 g gewürfelte Aubergine
3 El Butter
3 El Limettensaft
350 ml Gemüsebrühe
1/2 Bund gehackte Zitronenmelisse
3 El helle Grundsauce (von S. 9)
Salz, Pfeffer

Pro Portion ca. 71 kcal/300 kJ
1 g E, 5 g F, 4 g KH

Zwiebeln, Knoblauch und Aubergine in der heißen Butter andünsten. Limettensaft und Brühe zugeben. Alles 5 Minuten köcheln. Zitronenmelisse unterheben und mit heller Grundsauce andicken. Würzen. Passt zu Entenfleisch.

Soja-Zimt-Sauce

350 ml Gemüsebrühe
je 4 El helle und dunkle Sojasauce
1 Msp. Kardamom
2 Msp. Zimt
1 El brauner Zucker
1/2 Bund gehackter Koriander
2 zerdrückte Knoblauchzehen
3 El Tomaten-Grundsauce (von S. 9)
Salz, Pfeffer

Pro Portion ca. 48 kcal/200 kJ
2 g E, 3 g F, 4 g KH

Brühe und Sojasaucen erhitzen und Gewürze sowie Zucker und Koriander unterrühren und 15 Minuten köcheln. Knoblauch zugeben und mit Tomatensauce andicken. Würzen. Passt zu Schweinebraten.

Adlon-Sauce

2 Eigelb
1 El Butter
1 El Zitronensaft
Salz, Pfeffer
100 ml Gemüsebrühe
1 Tl Sardellenpaste
1 Tl Sojasauce
1/2 Tl Senf
1 Tl Kaviar

Pro Portion ca. 75 kcal/316 kJ
3 g E, 7 g F, 1 g KH

Eigelb, Butter, Zitronensaft, Salz und Pfeffer miteinander mischen. Im Wasserbad cremig rühren, nicht kochen. Brühe zugeben, abkühlen lassen. Restliche Zutaten unterheben und kühl stellen. Passt zu kaltem Braten.

Wacholdersauce

200 ml Fleischbrühe
200 ml dunkles Bier
1/2 Tl Kümmel
1/2 Bund gehackte Petersilie
1/2 Tl Paprikapulver
2 Tl Knoblauchpulver
4 zerdrückte Wacholderbeeren
75 g zerkrümelter Pumpernickel
3 El braune Grundsauce (von S. 9)
Salz, Pfeffer

Pro Portion ca. 106 kcal/444 kJ
5 g E, 3 g F, 11 g KH

Brühe und Bier erwärmen. Die Gewürze und Petersilie unterrühren und alles 15 Minuten köcheln. Pumpernickel unterheben, mit brauner Sauce andicken, würzen. Passt zu Schweinegeschnetzeltem.

Oliven-Knoblauch-Sauce

4 El Olivenöl
60 g Mehl
500 ml Hühnerfond
1 enthäutete fein gehackte rote Paprikaschote
75 g gehackte grüne Oliven
1 zerdrückte Knoblauchzehe
Salz, schwarzer Pfeffer
2 El gehacktes Schnittlauch

Pro Portion ca. 303 kcal/1274 kJ
16 g E, 25 g F, 3 g KH

Aus 2 El Öl und dem Mehl eine Mehlschwitze bereiten. Fond angießen, Paprika einrühren und 20 Minuten köcheln. Oliven und Knoblauch einrühren, kurz mitköcheln. Restliches Öl, Gewürze und Schnittlauch zugeben. Dazu passt Hähnchen.

Kerbel-Pilz-Sauce

15 g getrocknete Steinpilze
100 g geputzte und gehackte Egerlinge
50 g Butter, 300 ml Béchamelsauce (von S. 10)
1 El Sojasauce, 1 El Zitronensaft
1/2 Tl abgeriebene Zitronenschale (unbehandelt)
Salz, schwarzer Pfeffer
2 El gehackter Kerbel

Zubereitungszeit ca. 25 Minuten
Pro Portion ca. 228 kcal/959 kJ
11 g E, 5 g F, 7 g KH

Steinpilze in 60 ml Wasser einweichen, anschließend herausnehmen und hacken, Einweichwassser aufheben. Egerlinge in der Butter dünsten, Steinpilze zugeben und 2 Minuten mitdünsten lassen. Einweichwasser durch ein Sieb passiert zugießen, Soja- und Béchamelsauce unterrühren. Alles 20 Minuten köcheln. Sauce mit Zitronensaft und -schale aromatisieren und mit Gewürzen abrunden. Kurz vor dem Servieren Kerbel unterheben.

Kumquatsauce

2 gehackte Schalotten
100 g gewaschene Kumquats in Scheiben
3 El Öl
400 ml Kalbsfond
1/2 Bund gehackter Estragon
3 El Sauce Béarnaise (von S. 10)
Salz, Pfeffer

Zubereitungszeit ca. 30 Minuten
Pro Portion ca. 567 kcal/2379 kJ
49 g E, 39 g F, 6 g KH

Schalotten und Kumquatscheiben im heißen Öl andünsten und mit Kalbsfond aufgießen. 10 Minuten köcheln, dann Estragon unterrühren. Mit Sauce Béarnaise andicken und mit Salz und Pfeffer würzen.

Meerrettichsauce

50 g frischer Meerrettich
125 ml Weißweinessig
2 El Rinderbrühe
1 Prise Salz
1 Prise Zucker

Pro Portion ca. 253 kcal/1061 kJ
17 g E, 14 g F, 13 g KH

Den Meerrettich schälen und fein reiben. In eine Schüssel geben. Merrettich mit Weinessig, dann mit Brühe übergießen und 2 Minuten stehen lassen. Anschließend mit dem Pürierstab glatt rühren und mit Salz und Zucker abschmecken. 20 Minuten kühl stellen. Passt zu gekochtem Rind- und Schweinefleisch.

Sherry-Chili-Sauce

2 El Olivenöl
1 fein gehackte Chilischote
1 zerdrückte Knoblauchzehe
100 ml Sherry
300 ml Gemüsebrühe
2 El Olivenpaste
Salz
Pfeffer
Zimt
Muskat
3 El braune Grundsauce (von S. 9)

Pro Portion ca. 125 kcal/526 kJ
1 g E, 9 g F, 3 g KH

Chili und Knoblauch im heißen Olivenöl andünsten. Sherry und Brühe zugeben, 20 Minuten köcheln, Olivenpaste unterheben. Mit Gewürzen abschmecken und mit brauner Grundsauce andicken.

Honigmelonensauce

2 El Butter
50 g gehackte
Pistazien
200 g gewürfelte Honigmelone
Zitronensaft
350 ml Orangensaft
1/2 Bund gehackte Zitronenmelisse
2 El Zucker
3 El braune Grundsauce (von S. 9)
Salz
Zitronenpfeffer

Pro Portion ca. 151 kcal/633 kJ
3 g E, 12 g F, 8 g KH

Pistazien in der heißen Butter rösten, Melone, Zitronen- und Orangensaft zugeben und alles 15 Minuten köcheln. Zitronenmelisse unterheben, Zucker einrühren und mit brauner Sauce abschmecken. Würzen. Passt zu Entenbrust.

Kokossauce

3 El
2 gehackte Zwiebeln
200 g geschälte Möhren in Stiften
1 getrocknete Chilischote
200 g Kokoscreme
400 ml Gemüsebrühe
Saft und Schale von 1 Limette
3 El helle Grundsauce (von S. 8)
Salz
Pfeffer

Pro Portion ca. 142 kcal/595 kJ
1 g E, 12 g F, 7 g KH

Zwiebeln und Möhren im heißen Öl andünsten, Chili dazubröseln. Kokoscreme einrühren. Brühe zugeben und 10 Minuten köcheln. Limettenschale und -saft untermischen und mit heller Sauce andicken. Würzen. Passt zu Entenkeulen.

Rotkohlsauce

3 El Öl
2 gewürfelte Zwiebeln
100 g gekochter Kürbis
1 geschälter und gewürfelter Apfel
1 Lorbeerblatt
2 Nelken
125 ml Apfelsaft
375 ml Gemüsebrühe
100 g Rotkohl (Glas)
3 El Tomaten-Grundsauce (von S. 8)
Salz

Pro Portion ca. 106 kcal/446 kJ
2 g E, 6 g F, 11 g KH

Zwiebeln, Kürbis und Apfel im heißen Öl andünsten. Lorbeerblatt, Nelken, Saft und Brühe zugeben und 15 Minuten köcheln. Rotkohl hinzufügen, mit Tomaten-Grundsauce andicken und würzen. Passt zu Rinderrouladen.

Grüne Paprikasauce

2 El Butter
1 gehackte Zwiebel
1 gehackte Knoblauchzehe
1 gewürfelte grüne Paprikaschote
300 ml Gemüsebrühe
100 ml Sahne
2 El Armagnac
3 El helle Grundsauce (von S. 8)
Salz, Pfeffer
Cayennepfeffer
1 Tl Zucker

Pro Portion ca. 146 kcal/614 kJ
2 g E, 14 g F , 4 g KH

Butter erhitzen und Zwiebel sowie Knoblauch darin andünsten. Paprika dazugeben und mitschmoren. Gemüsebrühe und Sahne angießen und köcheln. Sauce pürieren, mit Armagnac und heller Grundsauce verfeinern. Würzen.

Stachelbeersauce

250 g geputzte Stachelbeeren
250 ml Weißwein
1 Prise Zucker
2 El Béchamelsauce (von S. 10)
1 Eigelb
2 El Sahne
1 El Zitronensaft

Pro Portion ca. 108 kcal/453 kJ
2 g E, 3 g F, 9 g KH

Stachelbeeren 3 Minuten blanchieren. Weißwein mit Zucker aufkochen, Beeren zugeben, 15 Minuten köcheln. Sauce pürieren, mit Béchamelsauce verfeinern. Eigelb mit Sahne verrühren und unterheben. Mit Zitrone abschmecken. Passt zu Ente und Gans.

Parmesansauce

1 El Butter
2 El Salbeiblätter in Streifen
250 ml Gemüsebrühe
150 g Crème fraîche
80 g frisch geriebener Parmesan
2 El helle Grundsauce (von S. 8)
Salz
Pfeffer

Pro Portion ca. 234 kcal/983 kJ
8 g E, 22 g F, 2 g KH

Die Salbeiblätter in der heißen Butter anschmoren. Brühe und Crème fraîche zugeben und etwas einkochen. Helle Grundsauce unterheben und Käse unter Rühren darin schmelzen lassen. Mit Salz und Pfeffer abschmecken. Passt zu Kalbfleischwürfeln.

Pflaumensauce

1 El Sonnenblumenöl
2 gewürfelte Schalotten
250 ml Kalbsfond
8 gehackte Trockenpflaumen
1/4 Tl schwarzer Pfeffer
1 El Balsamessig
1 Tl abgeriebene Zitronenschale (unbehandelt)
1/2 Tl Zucker
1 El braune Grundsauce (von S. 9)

Pro Portion ca. 193 kcal/810 kJ
7 g E, 4 g F, 30 g KH

Die Schalotten im heißen Öl andünsten, 100 ml Kalbsfond zugießen und 3 Minuten köcheln. Pflaumen und restlichen Fond zufügen und pfeffern. Weitere 5 Minuten köcheln, dann die restlichen Zutaten unterrühren. Passt zu Filetsteaks.

Feigensauce

1 El Olivenöl
30 g gehackte Walnüsse
100 ml Lammfond
175 ml Apfelsaft
8 getrocknete, gewürfelte Feigen
1/2 Tl Salz
3 El helle Grundsauce (von S. 8)

Pro Portion ca. 265 kcal/1113 kJ
6 g E, 11 g F, 36 g KH

Die Nüsse im heißen Öl rösten, dann Fond und Saft zugießen und etwas einkochen lassen. Feigen unterheben und würzen. Mit heller Grundsauce andicken. Passt zu Lammkoteletts.

Rosmarin-Senf-Sauce

1 El Butterschmalz
250 g Schalotten in Spalten
150 g halbierte Babymöhren
400 ml Rinderfond
2 El scharfer Senf
1 El gehackter Rosmarin
3 El braune Grundsauce (von S. 9)
Salz
Pfeffer
1/2 Tl Zucker

Pro Portion ca. 106 kcal/445 kJ
8 g E, 6 g F, 5 g KH

Schalotten im heißem Butterschmalz andünsten, Möhren zugeben und kurz mitschmoren. Rinderfond angießen und etwas einkochen. Senf und Rosmarin unterrühren und mit brauner Grundsauce andicken. Mit Salz, Pfeffer und Zucker abschmecken. Passt zu Kalbshaxe.

Frühlingssauce

2 El Butter
2 gehackte Knoblauchzehen
1 Bund gehackte Frühlingszwiebeln
1/2 Bund gehacktes Basilikum
200 ml Weißwein
200 ml Geflügelfond
2 El Senf
50 g geriebener Parmesan
3 El helle Grundsauce (von S. 8)
Salz
Pfeffer

Pro Portion ca. 189 kcal/795 kJ
8 g E, 12 g F, 4 g KH

Knoblauch, Zwiebeln in heißer Butter andünsten. Basilikum, Wein und Brühe zugeben, einkochen. Senf, Käse und helle Sauce einrühren, andicken und würzen. Passt zu pochierter Geflügelbrust.

Brokkolisauce

2 El Butter
1 gehackte Schalotte
200 g gekochter Brokkoli
250 ml Kalbsfond
100 ml Sahne
50 ml Weißwein
Salz
weißer Pfeffer
Muskat
3 El Béchamelsauce (von S. 10)
1 El gehackte Mandeln

Pro Portion ca. 186 kcal/780 kJ
7 g E, 15 g F, 5 g KH

Schalotte in 2 El heißer Butter andünsten, Brokkoli kurz mit erwärmen, Fond, Sahne und Wein zugeben und 15 Minuten köcheln. Pürieren, würzen und mit Béchamelsauce verfeinern. Mandeln darüber streuen. Passt zu Schweinekotelett.

Bananensauce

3 Bananen
4 El Zitronensaft
4 El Currypulver
2 El saure Sahne
3 El gemahlene Erdnüsse
Salz
schwarzer Pfeffer
Cayennepfeffer

Pro Portion ca. 160 kcal/669 kJ
3 g E, 4 g F, 27 g KH

Bananen mit einer Gabel zerdrücken und mit Zitronensaft, Curry und saurer Sahne mischen. Erdnüsse unterrühren und mit den Gewürzen abschmecken. Passt zu gegrilltem Fleisch und Fondue.

Sauerampfersauce

2 El Butter
2 gehackte Schalotten
1 zerdrückte Knoblauchzehe
1 Bund gehackter Sauerampfer
1 gehäutete, gewürfelte Tomate
4 El trockener Vermouth
100 ml Weißwein
100 ml Gemüsebrühe
4 El Schmand
Salz, Cayennepfeffer, Curry
1 El Zitronensaft

Pro Portion ca. 113 kcal/475 kJ
2 g E, 8 g F, 4 g KH

Schalotte und Knoblauch in heißer Butter andünsten, Sauerampfer und Tomate zugeben und mit Vermouth, Wein und Brühe etwas einkochen. Sauce pürieren, Schmand zugeben und würzen. Passt zu Putenfleisch.

Sardellensauce

200 g Thunfisch (Dose)
2 El Sardellenpaste
400 ml Kalbsfond
3 El Zitronensaft
abgeriebene Schale von 1/2 Zitrone
2 El Kapern (Glas)
3 El braune Grundsauce (von S. 9)
Salz
Pfeffer

Pro Portion ca. 167 kcal/700 kJ
18 g E, 9 g F, 4 g KH

Thunfisch mit Sardellenpaste verrühren, im Kalbsfond 15 Minuten köcheln. Zitronensaft und -schale zugeben und Kapern unterheben. Mit brauner Sauce andicken und würzen. Passt zu Kasseler.

Weißkohlsauce

2 El Butter
50 g gewürfelter durchwachsener Speck
1 gewürfelte Zwiebel
200 g Weißkohl in Streifen
300 ml Wildfond
100 ml weißer Portwein
1/2 Bund gehackte Petersilie
3 El braune Grundsauce (von S. 9)
je 1/2 Tl Kümmel, getrockneter Thymian und Majoran

Pro Portion ca. 278 kcal/1166 kJ
8 g E, 21 g F, 8 g KH

Speck in heißer Butter auslassen, Zwiebeln und Kohl darin 3 Minuten andünsten. Fond und Port angießen und etwas einkochen. Petersilie unterheben und mit brauner Grundsauce abschmecken. Mit Kümmel, Kräutern, Salz und Pfeffer würzen. Passt zu Hasenragout.

Rosinensauce

3 El Butter
3 gehackte Zwiebeln
2 geschälte und gewürfelte Äpfel
1 Banane in Scheiben
400 ml Gemüsebrühe
100 g eingeweichte Rosinen
1/2 El Currypulver, 100 g Sahne
3 El helle Grundsauce (von S. 8)
Salz, Pfeffer

Pro Portion ca. 315 kcal/1323 kJ
3 g E, 17 g F , 37 g KH

Zwiebeln in heißer Butter andünsten, das Obst dazugeben und 2 Minuten mitschmoren. Brühe angießen und aufkochen. Rosinen, Curry und Sahne einrühren und 10 Minuten köcheln. Mit weißer Grundsauce abschmecken und mit Salz und Pfeffer würzen. Passt zu Kaninchenragout.

Rhabarbersauce

500 g Rhabarber in Stücken
100 g Zucker
5 El Olivenöl
3 gewürfelte Schalotten
3 gehackte Knoblauchzehen
1/2 Bund gehackte Petersilie
1 Tl schwarzer Pfeffer
1 Tl Senfpulver
1/2 Tl gemahlener Koriander
5 El Essig
Salz

Pro Portion ca. 265 kcal/1113 kJ
2 g E, 15 g F , 29 g KH

Rhabarber mit Zucker Saft ziehen lassen, 20 Minuten garen. Schalotten und Knoblauch im heißen Öl andünsten. Petersilie und Gewürze untermischen und mit dem Rhabarber verrühren. Essig und Salz zufügen, 10 Minuten köcheln. Passt zu Poularde.

Schweinemedaillons in Morchelrahm

50 g getrocknete Morcheln
700 g Schweinefilet
Salz, Pfeffer
3 El Mehl
100 g Butter
2 cl Sherry
150 g Crème fraîche
1/2 Bund Kerbel

Pro Portion ca. 348 kcal/1460 kJ
42 g E, 17 g F, 5 g KH

Die Morcheln über Nacht in Wasser einweichen. Am nächsten Tag abgießen, das Einweichwasser durchsieben und aufbewahren. Das Schweinefilet in gleich große Scheiben schneiden. Mit Salz und Pfeffer würzen und in Mehl wenden.
Die Butter in einer Pfanne schmelzen und die Medaillons darin von beiden Seiten anbraten. Morcheln in Scheiben schneiden und zugeben. Die Pfanne abdecken. Fleisch und Pilze etwa 20 Minuten dämpfen, bis die Medaillons auf Druck nicht mehr nachgeben. Aus der Pfanne nehmen und warm stellen.

Schweinemedaillons Piemont

600 g Schweinefilet

2 El Butterschmalz

Salz, Pfeffer

400 g Schattenmorellen aus dem Glas

3 El Aprikosenkonfitüre

50 ml Aprikosensaft

150 ml Kirschwasser

200 g Schmand

Zitronenmelisse zum Garnieren

Pro Portion ca. 627 kcal/2635 kJ
42 g E, 17 g F, 5 g KH

Das Schweinefilet in Scheiben schneiden. Butterschmalz in einer Pfanne erhitzen und die Filets darin von jeder Seite ca. 1 Minute kräftig anbraten.
Die Filets dann bei milder Hitze ca. 6 Minuten weiterbraten. Mit Salz und Pfeffer würzen. Anschließend in Alufolie einwickeln und warm stellen. Die Kirschen in einem Sieb abtropfen lassen.
Den Bratfond noch einmal erhitzen und die Kirschen darin schmoren. Die Konfitüre unterrühren und das Fleisch wieder dazugeben. Den Saft dazugeben. Das Kirschwasser darüber träufeln.
Mit einem extra langen Streichholz den Alkohol anzünden, abbrennen lassen. Den Schmand unterrühren. Alles auf Tellern anrichten und mit Melisse garniert servieren. Dazu passen gebratene Zucchini.

Rheinischer Sauerbraten

1 kg Rindfleisch aus der Keule oder Schulter
250 ml Essig
250 ml Wasser
1 Lorbeerblatt
5 Pfefferkörner
1/2 Tl Senfkörner
7 Zwiebel
60 g Fett
250 ml Fleischbrühe
2 El Rotwein
50 g Printen oder Lebkuchen
1 El Mehl
80 ml Sahne
40 g Rosinen
Salz
Zucker

Pro Portion ca. 585 kcal/2457 kJ
52 g E, 33 g F, 18 g KH

Das Fleisch in eine Schüssel geben. Den Essig und das Wasser vermischen, Lorbeerblatt und Gewürzkörner dazugeben. Zwiebel schälen und klein gehackt dazugeben. Das Fleisch 3 Tage an einem kühlen Ort marinieren lassen, ab und zu wenden.
Fleisch herausnehmen und abtrocknen. Das Fett erhitzen und das Fleisch darin 15 Minuten anbraten. Die Fleischbrühe, den Rotwein und etwa 100 ml Marinade hinzugießen, zugedeckt 1 Stunde garen. Die Printen oder Lebkuchen fein zerbröckeln und 10 Minuten mitschmoren. Fleisch herausnehmen und warm halten.
Bratenfond durchpassieren und aufkochen. Das Mehl mit der Sahne verquirlen, hinzugeben und 5 Minuten kochen lassen. Die Rosinen zufügen. Die Sauce mit Salz und Zucker abschmecken. Zu Sauerbraten schmecken Apfelkompott und Kartoffelklöße.

Münchner Sauerbraten

350 ml Weinessig
1 Zwiebel
2 Bund Suppengrün
1 Lorbeerblatt
2 Nelken
4 Wacholderbeeren
je 3/4 Tl Rosmarin und Thymian
Salz, Pfeffer
1 kg Rindfleisch
75 g Speck
3 El Butterschmalz
1 Stück Sauerteig-Brotrinde
200 ml Crème fraîche

Pro Portion ca. 653 kcal/2741 kJ
55 g E, 46 g F, 5 g KH

Essig in 350 ml Wasser aufkochen. Zwiebel schälen und in Ringe schneiden. Suppengrün putzen, waschen und klein schneiden. Zwiebel, Gemüse und Gewürze in das Essigwasser geben und aufkochen lassen. Fleisch in dieser Marinade etwa 5 Tage ziehen lassen. Danach aus dem Sud nehmen und abtrocknen.
Backofen auf 200 °C vorheizen. Speck in dünne Streifen schneiden und das Fleisch damit spicken. Schmalz in einem Bräter erhitzen und das Fleisch darin von allen Seiten anbraten. 500 ml Marinade mit Zwiebeln, Gemüse, Gewürzen und Brotrinde zugeben.
Braten im Ofen etwa 2 Stunden backen. Gelegentlich mit dem Bratensaft übergießen. Aus dem Bräter nehmen und warm stellen. Bratensauce durch ein Sieb streichen. Die Crème fraîche unterrühren und die Sauce dick einkochen lassen. Mit Salz und Pfeffer abschmecken. Das Fleisch in Scheiben schneiden und mit der Sauce anrichten. Dazu passen Knödel.

Hühnerflügel mit Orangensauce

12 Hühnerflügel
Salz, Pfeffer
3 El Sesamöl
4–5 El dünnflüssiger Honig
5 El Pflanzenöl
1 Orange
1 1/2 El Zucker

Pro Portion ca. 398 kcal/1670 kJ
25 g E, 27 g F, 14 g KH

Hühnerflügel mit Salz und Pfeffer würzen. Sesamöl mit Honig verrühren und mit den Hühnerflügeln sorgfältig vermischen, 30 Minuten ziehen lassen.
Das Pflanzenöl in einem Wok erhitzen und die Hühnerflügel darin auf jeder Seite 4 Minuten kräftig anbraten, bis sie fast gar sind.
Wok vom Herd nehmen, Hähnchenflügel herausnehmen und warm halten. Orange heiß abwaschen, trockenreiben und die Schale abreiben und einige Zesten reißen. Die Orange auspressen.
Zucker ohne Rühren langsam erhitzen, bis der Zucker karamellisiert, vom Herd nehmen. Orangensaft und Bratensud dazugeben. Bei geringer Hitze rühren, bis eine glatte Sauce entsteht. Eventuell noch etwas Wasser oder Orangensaft hinzugießen.

Fasan mit Holunderbeeren

2 küchenfertige junge Fasane
Salz
Pfeffer
Öl zum Braten
125 ml Gemüsebrühe
500 ml Holunderbeersaft
250 ml Sahne
80 g kalte Butter
1 El Holunderbeeren

Pro Portion ca. 900 kcal/3780 kJ
90 g E, 60 g F, 3 g KH

Den Backofen auf 220 °C vorheizen. Die küchenfertigen Fasane waschen, abtrocknen, salzen und pfeffern. Das Öl in einem Bräter erhitzen und die Fasane hineingeben. Im Backofen ca. 20 Minuten rosa braten, zwischendurch mehrmals mit der Brühe begießen. Herausnehmen und warm stellen.

Den Bratensatz mit Holunderbeersaft auffüllen und ca. 10 Minuten reduzieren lassen. Die Sahne unterrühren und etwas einköcheln lassen.

Die Sauce in einen Mixbecher geben und die kalte Butter untermixen. Die Holunderbeeren hinzufügen und die Sauce nochmals kurz erhitzen.

Die Fasane in Portionen zerteilen und mit der heißen Sauce anrichten. Dazu schmecken kleine Kartoffelklöße und Salat.

Kaninchen in Senfsauce

150 ml Gemüsebrühe
3 El Rosinen
4 küchenfertige Kaninchenkeulen
Salz
frisch gemahlener Pfeffer
40 g Butter
1 El Öl
2 El grober Senf
150 g Crème fraîche
Kartoffelmehl zum Binden
frische Petersilie zum Garnieren

Pro Portion ca. 473 kcal/1985 kJ
46 g E, 28 g F, 9 g KH

Von der Gemüsebrühe 50 ml abnehmen und die Rosinen darin einweichen. Inzwischen die Kaninchenkeulen mit Salz und Pfeffer würzen.
Die Butter mit dem Öl in einer Pfanne erhitzen und die Keulen darin rundherum ca. 5 Minuten goldbraun braten. Die restliche Gemüsebrühe hinzugießen, den Deckel auflegen und alles ca. 30 Minuten schmoren lassen.
Wenn die Kaninchenkeulen gar sind, den Senf, die Crème fraîche und die Rosinen unterrühren. Ist die Sauce zu dünn, diese etwas einkochen lassen oder mit wenig Kartoffelmehl binden.
Die Petersilie waschen, trockenschütteln und fein hacken. Das Kaninchen mit Sauce, glasierten Möhren und Salzkartoffeln servieren und mit Petersilie garnieren.

Kaninchen in Bärlauchsauce

1 küchenfertiges Kaninchen
2 Zwiebeln
125 ml Weißwein
400 ml Fleischbrühe
frisch gemahlener schwarzer Pfeffer
Salz
2 El Butter
2 El Mehl
60 g Bärlauch
300 ml saure Sahne
etwas Zitronensaft

pro Portion ca. 435 kcal/1827 kJ
38 g E, 26 g F, 8 g KH

Kaninchen in Portionsstücke zerteilen. Zwiebeln schälen und vierteln. Weißwein und die Hälfte der Fleischbrühe aufkochen. Die Kaninchenstücke mit Zwiebeln, Salz und Pfeffer hineingeben und zugedeckt ca. 1 Stunde köcheln lassen, bis das Fleisch weich ist. Die Fleischstücke herausnehmen und warm stellen.

Für die Sauce den Fond durchsieben und mit der restlichen Fleischbrühe zum Kochen bringen. Die Butter mit dem Mehl gut verkneten, in die Sauce einrühren und einige Minuten köcheln lassen.

Bärlauch putzen, waschen und in feine Streifen schneiden. Bärlauch und saure Sahne unter die Sauce heben und mit Salz und Zitronensaft abschmecken. Die Fleischstücke in der Sauce nochmals heiß werden lassen und mit der Sauce servieren.

Perlhuhn mit Ananas-Rum-Sauce

1 küchenfertiges Perlhuhn
Salz, Pfeffer, 5 El Öl
1 Bund gehackte Frühlingszwiebeln
1 getrocknete Chilischote
1 gewürfelte Baby-Ananas, 300 ml Ananassaft
100 ml Rum, 1 Tl brauner Zucker, Tabasco
3 El braune Grundsauce (von S. 9)

Pro Portion ca. 237 kcal/995 kJ
8 g E, 13 g F, 8 g KH

Das Perlhuhn salzen, pfeffern und in 2 El Öl anbraten. Die Brühe hinzugießen und das Huhn in etwa 30–40 Minuten gar schmoren. Frühlingszwiebeln im restlichen Öl andünsten, Chilischote dazubröseln. Ananas zugeben und kurz mitschmoren. Saft und Rum zugießen und 10 Minuten köcheln. Mit Zucker, Tabasco, Salz und Pfeffer pikant abschmecken. Mit brauner Grundsauce andicken. Das Perlhuhn mit der Sauce anrichten und servieren.

Filetsteaks mit Balsam-Frucht-Sauce

2 gehackte Schalotten, 2 El Sonnenblumenöl
250 ml Kalbsfond, 8 gehackte Trockenpflaumen
1/4 Tl schwarzer Pfeffer, 1 El Balsamessig
1 Tl abgeriebene Zitronenschale (unbehandelt)
1/2 Tl Zucker, 1 El braune Grundsauce (von S. 9)
4 Filetsteaks, Salz

Pro Portion ca. 348 kcal/1462 kJ
34 g E, 9 g F, 31 g KH

Schalotten in 1 Esslöffel Öl andünsten. 100 ml Kalbsfond zugießen und 3 Minuten köcheln lassen. Pflaumen und den restlichen Fond hinzufügen, alles pfeffern. Weitere 5 Minuten köcheln, anschließend Essig, Zitronenschale, Zucker und Grundsauce darunter rühren. Filetsteaks im restlichen Öl braten, leicht salzen, pfeffern und mit der Sauce anrichten.

Wirsingsauce

500 g Wirsing
1 Zwiebel
2 El Butterschmalz
200 ml Gemüsebrühe
200 ml Weißbier
einige Kümmelkörner
1 Ei
1 Bund Petersilie
3 El helle Grundsauce (von S. 8)
Salz
Pfeffer

Pro Portion ca. 153 kcal/644 kJ
7 g E, 8 g F, 7 g KH

Wirsing waschen, trocknen und in Streifen schneiden. Zwiebel würfeln und in Butterschmalz anbraten. Den Wirsing dazugeben. Mit Gemüsebrühe und Weißbier angießen. Mit Kümmelkörnern würzen. Die Sauce ca. 10 Minuten bei mittlerer Hitze einkochen lassen. Ei hart kochen, pellen und in Würfel schneiden. Petersilie waschen, trocknen und in Streifen schneiden. Ei und Kräuter unter die Sauce rühren und mit der hellen Grundsauce andicken. Mit Salz und Pfeffer würzen. Passt zu gebratener Schweinshaxe.

Spinat-Pilz-Sauce

20 g getrocknete Steinpilze
250 g Blattspinat
1 Knoblauchzehe
3 El Olivenöl
100 ml Rosé-Wein
300 ml Fleischfond
3 El braune Grundsauce (von S. 9)
1 El Senf
Salz
Pfeffer
frisch geriebene Muskatnuss

Pro Portion ca. 168 kcal/708 kJ
8 g E, 12 g F, 3 g KH

Steinpilze ca. 30 Minuten in heißem Wasser einweichen. Abtropfen lassen. Blattspinat putzen, waschen und trocknen. Knoblauchzehe schälen und fein hacken. Olivenöl erhitzen. Steinpilze, Spinat und die Knoblauchzehe darin andünsten. Mit Rosé-Wein und Fleischfond angießen. Alles einkochen lassen. Senf unterrühren. Die Sauce mit der braunen Grundsauce andicken. Alles mit Salz, Pfeffer und Muskatnuss würzen. Die Sauce zu gebratener Kalbsbrust servieren.

Sauerkrautsauce

1 Dose Sauerkraut (240 g)
4 El Sojasauce
2 cm Ingwer
400 ml Fleischfond
1 El Pimentkörner
1/2 Tl Sambal Oelek
50 g Haselnusskerne
3 El braune Grundsauce (von S. 9)
Salz
Pfeffer
Kümmel

Pro Portion ca. 164 kcal/687 kJ
9 g E, 12 g F, 4 g KH

Sauerkraut in einen Topf geben und mit Sojasauce verrühren. Ingwer reiben und dazugeben. Alles erhitzen. Mit Fleischfond angießen. Alles ca. 10 Minuten ziehen lassen. Pimentkörner dazugeben. Sambal Oelek unter die Sauce rühren. Haselnusskerne grob hacken und ebenfalls unterrühren. Die Pimentkörner entfernen. Die Sauce mit der braunen Grundsauce andicken und würzen. Zu gekochtem Eisbein servieren.

Biersauce

200 ml Fleischbrühe
200 ml dunkles Bier
1/2 Tl Kümmelkörner
1/2 Bund gehackte Petersilie
1/2 Tl Paprikapulver
2 Tl Knoblauchpulver
4 Wacholderbeeren
75 g Pumpernickel
3 El braune Grundsauce (von S. 9)
Salz
Pfeffer

Pro Portion ca. 108 kcal/454 kJ
5 g E, 2 g F, 13 g KH

Fleischbrühe mit dem Bier in einem Topf erhitzen. Kümmelkörner, Paprika, Knoblauch, gehackte Petersilie und zerdrückte Wacholderbeeren unterrühren. Das Ganze ca. 15 Minuten einkochen lassen. Pumpernickel zerbröseln und unter die Sauce rühren. Die Sauce mit der braunen Grundsauce andicken und abschmecken. Passt zu Schweinegeschnetzeltem.

Saucen für Fisch

Remouladensauce

200 g Mayonnaise
1 El Zitronensaft
1 Tl gehackte Kapern
1 El gehackte frische Kräuter
1/2 Tl Sardellenpaste
2 kleine gehackte Gewürzgurken
1 fein gehackte Schalotte
Salz
schwarzer Pfeffer

Pro Portion ca. 390 kcal/1638 kJ
1 g E, 42 g F, 3 g KH

Die Mayonnaise mit den restlichen Zutaten glatt rühren.
Sauce 10 Minuten ziehen lassen, dann mit Salz und Pfeffer abschmecken. Passt zu gebratenem Fisch.

Variation 1

Die Remouladensauce wie oben beschrieben, jedoch ohne Sardellenpaste, Kapern und Gurken zubereiten. Stattdessen 100 g Naturjoghurt unterrühren und mit 2 cl Cognac verfeinern. Passt zu Schalentieren.

Pro Portion ca. 395 kcal/1659 kJ
2 g E, 42 g F, 3 g KH

Variation 2

Die Remouladensauce wie oben beschrieben, jedoch ohne Sardellenpaste zubereiten. 5 El Tomatenketchup und 1 Tl Meerrettich aus dem Glas unterrühren. Mit 2 Tl Weißweinessig und einigen Spritzern Tabasco abschmecken. Passt zu Krabben und Shrimps.

Pro Portion ca. 385 kcal/1617 kJ
1 g E, 41 g F, 4 g KH

Variation 3

Die Remouladensauce wie links beschrieben zubereiten. 1/2 Tl gemahlenen Safran und 1 Tl Curry unterheben. Passt zu Muscheln.

Pro Portion ca. 393 kcal/1649 kJ
2 g E, 42 g F, 4 g KH

Variation 4

Die Remouladensauce wie links beschrieben zubereiten. 1 zerdrückte Knoblauchzehe und 1 El Olivenpaste unterrühren. Passt zu gegrilltem Fisch.

Pro Portion ca. 390 kcal/1638 kJ
2 g E, 42 g F, 3 g KH

Olivensauce

150 g schwarze Oliven
1 gewürfelte Schalotte
5 El Butter
125 ml Noilly Prat
250 ml Fischfond
1 gewürfelte Tomate
1 El gehackter Estragon
3 El Sauce Béarnaise (von S. 10)
Salz, Pfeffer, Zitronensaft

Pro Portion ca. 258 kcal/1082 kJ
3 g E, 23 g F, 5 g KH

Oliven entsteinen und hacken. Schalotte und Olivensteine in 3 El heißer Butter schmoren, Noilly Prat und Fischfond zugeben und etwas einkochen lassen. Olivensteine entfernen. Oliven, Tomate und Estragon einrühren und mit Sauce Béarnaise andicken. Mit Zitrone abschmecken.

Knoblauch-Kern-Sauce

2 Scheiben Toastbrot
250 ml Milch
100 g Sonnenblumenkerne
2 Knoblauchzehen
125 g Sahne
1/2 Bund gehackte glatte Petersilie
Salz
weißer Pfeffer
Zitronensaft

Pro Portion ca. 295 kcal/1239 kJ
9 g E, 24 g F, 11 g KH

Toastbrot entrinden, in der Milch einweichen. Mit Sonnenblumenkernen und zerdrücktem Knoblauch im Mixer pürieren. Sahne einrühren und die Petersilie unterheben. Etwas ziehen lassen, mit Salz, Pfeffer und Zitronensaft abschmecken.

Pflaumen-Ingwer-Sauce

100 g gehackte Schalotten
3 gehackte Knoblauchzehen
2,5 cm geriebener Ingwer
2 El Chili-Öl
300 g frische gehackte Pflaumen
300 ml Fischfond
1 El dunkle Sojasauce
1 Tl Zucker, Salz, 2 Sternanis
1/2 Tl gemahlener Szechuanpfeffer

Pro Portion ca. 92 kcal/385 kJ
39 g E, 4 g F, 11 g KH

Gesalzenen Karpfen 20 Minuten ruhen lassen. Salzwasser mit Gemüse und Zwiebeln 15 Minuten kochen, Karpfen darin 20 Minuten ziehen lassen. Schalotten, Knoblauch und Ingwer im Öl dünsten. Pflaumen mitschmoren, Fond und Sojasauce zugeben, einkochen und pürieren. Abschmecken. Passt zu Karpfen.

Erdnuss-Sauce

2 El Erdnusscreme
200 ml Milch
200 ml Gemüsebrühe
4 El Sojasauce
1 Messerspitze Sambal Oelek
2 zerdrückte Knoblauchzehen
2 El gehackter Koriander
3 El braune Grundsauce (von S. 9)
Salz, Pfeffer
Zucker

Pro Portion ca. 385 kcal/1615 kJ
40 g E, 23 g F, 6 g KH

Erdnusscreme in der Milch verrühren und mit der Brühe erwärmen. Sojasauce und Sambal Oelek einrühren und etwa 10 Minuten einkochen. Knoblauch und Koriander zugeben und mit brauner Grundsauce andicken. Mit Salz, Pfeffer und Zucker abschmecken. Passt zu Seelachs.

Avocadosauce

3 fein gehackte Schalotten
2 enthäutete, gewürfelte Tomaten
1/2 fein gehackte rote Chili
1 El gehackte Petersilie
2 geschälte Avocados
Saft von 1 Limette
100 ml Sahne
Salz, Pfeffer

Pro Portion ca. 335 kcal/1407 kJ
4 g E, 34 g F, 4 g KH

Schalotten, Tomaten, Chili, Petersilie und Avocadofleisch im Mixer pürieren. Limettensaft und Sahne unterrühren und mit Salz und Pfeffer abschmecken. Passt zu gegrilltem Fisch.

Preiselbeersauce

100 g eingelegte Preiselbeeren
200 ml Kalbsfond
100 ml Weißwein
1 El Sahne-Meerrettich
3 El Tomaten-Grundsauce (von S. 9)
Salz, Pfeffer
Zucker

Pro Portion ca. 65 kcal/273 kJ
4 g E, 1 g F, 7 g KH

Die Preiselbeeren im Kalbsfond erhitzen, Wein und Meerrettich zugeben und Sauce einkochen lassen. Mit Tomaten-Grundsauce verfeinern und mit Salz, Pfeffer und Zucker abschmecken. Passt zu gebratenem Barsch.

Honigsauce

1 gehackte Zwiebel
1 El geriebener Ingwer
3 El Pflanzenöl
4 El Zitronensaft
4 El Weinessig
350 ml Gemüsebrühe
Filets von je 1 Orange und Grapefruit
3 El helle Grundsauce (von S. 9)
1 Tl Honig

Pro Portion ca. 166 kcal/698 kJ
1 g E, 11 g F, 13 g KH

Zwiebel und Ingwer im heißen Öl andünsten. Zitronensaft, Essig und Brühe zugeben und 15 Minuten einkochen. Früchtefilets unterheben. Mit heller Grundsauce andicken und mit Honig abschmecken. Passt zu Lachsforelle.

Petersiliencreme

3 gehackte Schalotten
200 g gewürfelte Petersilienwurzel
2 El Butter
3 Bund gehackte glatte Petersilie
250 ml Fischfond
150 ml Weißwein
3 El weiße Buttersauce (von S. 11)
Salz, Pfeffer

Pro Portion ca. 125 kcal/524 kJ
3 g E, 7 g F, 6 g KH

Schalotten und Petersilienwurzel in der heißen Butter schmoren. Petersilie, Fond und Weißwein zugeben und etwas köcheln lassen. Mit heller Grundsauce andicken. Würzen. Passt zu Kochfisch.

Meerrettichsauce

250 ml Kalbsfond
250 ml Milch
100 g frisch geriebener Meerrettich
50 g gemahlene Mandeln
1 El Zitronensaft
5 El Crème fraîche
3 El Sauce Béchamel (von S. 10)
Cayennepfeffer

Pro Portion ca. 183 kcal/770 kJ
10 g E, 12 g F, 8 g KH

Fond und Milch aufkochen, Meerrettich und Mandeln zugeben und Sauce etwas einkochen. Zitronensaft und Crème fraîche zugeben und mit Sauce Béchamel andicken. Mit Cayennepfeffer abschmecken. Passt zu Seeteufel.

Trianonsauce

5 gewürfelte Schalotten
1 El Olivenöl
4 El Weißwein
2–3 El Mayonnaise
1 El Tomatenmark
3 fein gehackte Pfeffergurken
1/2 gehackte rote Paprikaschote
Salz, Pfeffer
Zucker

Pro Portion ca. 167 kcal/700 kJ
1 g E, 15 g F, 5 g KH

Schalotten im heißen Öl andünsten. Wein zugeben und 10 Minuten köcheln. Anschließend pürieren. Abgekühltes Püree mit Mayonnaise und Tomatenmark verrühren und das Gemüse unterheben. Abschmecken. Passt zu gegrillter Makrele.

Beerendip

400 g Preiselbeerkonfitüre (Glas)
100 g Crème fraîche
1 Prise Zimt
2 cl Rum

Pro Portion ca. 348 kcal/1460 kJ
1 g E, 8 g F, 67 g KH

Die Preiselbeerenkonfitüre mit Crème fraîche verrühren. Den Rum dazugeben und mit einer Prise Zimt abschmecken. Anschließend den Dip pürieren. Passt zu gebratenen Rotbarben und Felchen.

Dillsauce

1 gehackte Zwiebel
3 El Butter
200 ml Fischfond
100 ml Weißwein
100 g Sahne
1 Bund gehackter Dill
3 El helle Grundsauce (von S. 9)
Salz, Pfeffer
Muskatnuss
Weinessig

Pro Portion ca. 174 kcal/730 kJ
2 g E, 15 g F, 4 g KH

Zwiebel in der heißen Butter andünsten. Fond, Wein und Sahne angießen und 10 Minuten köcheln. Dill unterheben. Mit heller Grundsauce verfeinern und mit den Gewürzen und Essig abschmecken. Passt zu Scholle und Dorsch.

Kümmelschaum

2 Eier
2 Eigelb
2 cl Kümmelschnaps (z. B. Aquavit)
250 ml Kalbsfond
125 ml Sahne
Salz, Pfeffer
1/2 Tl gemahlener Kümmel

Pro Portion ca. 206 kcal/864 kJ
11 g E, 17 g F, 2 g KH

Eier, Eigelb und Schnaps mit 3 El Fond im warmen Wasserbad cremig rühren. Restlichen Fond und Sahne zugeben und aufschlagen. Nicht kochen. Mit Salz, Pfeffer und Kümmel würzen. Passt zu Seezunge und Zander.

Rote-Bete-Rahm

2 gewürfelte Schalotten
250 g Rote-Bete-Streifen
3 El Olivenöl
125 ml Weißwein
400 ml Fischfond
1/2 Bund gehackte Petersilie
3 El rote Buttersauce (von S. 11)
Salz, Pfeffer

Pro Portion ca. 173 kcal/726 kJ
4 g E, 12 g F, 9 g KH

Schalotten und Rote Bete im heißen Öl schmoren. Weißwein und Fond zugeben und etwas einkochen. Petersilie unterheben, mit roter Buttersauce verfeinern und würzen. Passt zu gebratener Seezunge.

Feigensauce

40 ml Tomatensaft
150 g geschälte, gewürfelte Feigen
1 Dose Tomaten (250 g)
4 El Zitronensaft
geriebener Ingwer
Zimtpulver
1 cl Madeira
3 El Tomaten–Grundsauce (von S. 9)
2 Feigen in Spalten

Pro Portion ca. 107 kcal/450 kJ
3 g E, 2 g F, 18 g KH

Tomatensaft erhitzen und Feigen sowie Dosentomaten darin 10 Minuten köcheln. Sauce pürieren. Mit Zitronensaft, Ingwer, Zimt und Madeira aromatisieren. Mit Tomaten-Grundsauce andicken. Feigenspalten unterheben. Passt zu Heilbutt.

Aprikosen-Pfeffer-Sauce

200 g abgetropfte Aprikosenspalten (Dose)
2 El Butter
3 Tl rosa Pfefferkörner
3 El Weinbrand
350 ml Aprikosensaft
6 El Sahne
3 El helle Grundsauce (von S. 9)
Salz, Pfeffer
Tabasco

Pro Portion ca. 177 kcal/742 kJ
2 g E, 9 g F, 19 g KH

Aprikosenspalten in der heißen Butter 5 Minuten schmoren. Pfefferkörner, Weinbrand und Saft zugeben und etwas einkochen. Sahne unterrühren und mit heller Grundsauce andicken. Abschmecken. Passt zu gedünsteten Riesengarnelen.

Wodka-Kaviar-Sauce

1 geschälte, gewürfelte Avocado
400 ml Gemüsebrühe
20 g Beluga-Kaviar
20 g Keta-Kaviar
4 El Wodka
3 El Zitronensaft
1 Tl Sahne-Meerrettich (Glas)
3 El helle Grundsauce (von S. 9)
Salz, Pfeffer, Tabasco

Pro Portion ca. 183 kcal/767 kJ
4 g E, 17 g F, 3 g KH

Avocadowürfel in der heißen Gemüsebrühe köcheln, dann pürieren. Kaviar, Wodka und Zitronensaft zum Püree geben und mit Meerrettich verfeinern. Mit heller Grundsauce andicken und mit Salz, Pfeffer und Tabasco würzen.

Löwenzahnsauce

1 gehackte Zwiebel
2 gehackte Knoblauchzehen
1 Bund gehackter junger Löwenzahn
3 El Butter
400 ml Gemüsebrühe
3 El Honig
100 g Spargelstücke (Glas)
3 El helle Grundsauce (von S. 9)

Pro Portion ca. 88 kcal/370 kJ
1 g E, 6 g F, 9 g KH

Zwiebel, Knoblauch und Löwenzahn in heißer Butter 5 Minuten dünsten, dann pürieren. Gemüsebrühe angießen, etwas einkochen. Honig und Spargel unterrühren und mit heller Grundsauce andicken. Passt zu Flusskrebsen.

Kerbel-Rahm-Sauce

1 El Butter
1 Bund gehackter Kerbel und gehackte Petersilie
100 ml Weißwein
200 ml Kalbsfond
100 ml Sahne
3 El Béchamelsauce (von S. 10)
Salz, Pfeffer

Pro Portion ca. 129 kcal/543 kJ
4 g E, 10 g F, 3 g KH

Butter erhitzen und die gehackten Kräuter kurz darin andünsten. Mit Wein, Fond und Sahne aufgießen und etwas einkochen lassen. Mit Béchamelsauce andicken und mit Salz und Pfeffer abschmecken. Passt zu Forelle und Lachs.

Rotbarbenfilets mit Wasabi-Tomatensauce

800 g Rotbarbenfilet
je 1/2 l Wasser und Wein
100 ml Hummerfond
50 ml Sojasauce
200 ml Orangensaft
2 gewürfelte Zwiebel
100 g in dünne Streifen geschnittener Meerrettich
1 Tl Wasabi
1 geschälte Knoblauchzehe
1 El Zucker
1 Tl gehackter eingelegter Ingwer
3 El Tomaten-Grundsauce (von S. 9)
Salz, Pfeffer

Pro Portion ca. 301 kcal/1262 kJ
40 g E, 8 g F, 13 g KH

Rotbarbenfilet säubern. Wasser und Wein mit 1 Zwiebel aufkochen. Rotbarbenfilet darin 10 Minuten garen. Fond, Sojasauce und Orangensaft erwärmen. Zwiebeln, Meerrettich und Wasabi unterrühren, Knoblauch dazudrücken, Zucker zugeben und etwas einkochen. Ingwer unterheben und mit Tomaten-Grundsauce verfeinern. Würzen.

Lorbeersauce

3 El Sonnenblumenöl
1 gehackte Knoblauchzehe
200 g gewürfelte Kartoffeln
1 Tl gemahlener Lorbeer
400 ml Fischfond
1 Tl gehackter Estragon
3 El Tomaten-Grundsauce (von S. 9)
Salz, Pfeffer

Pro Portion ca. 150 kcal/628 kJ
3 g E, 11 g F, 9 g KH

Knoblauch und Kartoffeln im heißen Öl 5 Minuten schmoren. Lorbeer und Fond angießen, 5 Minuten köcheln, dann Sauce pürieren. Estragon und Tomaten-Grundsauce unterheben. Würzen.

Fenchelsauce

150 g gewürfelter Fenchel
2 El Butter
4 El Pastis
250 ml Fischfond
100 ml Weißwein
Filets und Saft von 1 Orange
3 El Sauce Hollandaise (von S. 10)
Salz, Pfeffer

Pro Portion ca. 113 kcal/476 kJ
3 g E, 6 g F, 7 g KH

Fenchel in der heißen Butter 5 Minuten dünsten. Pastis, Fond und Weißwein zugeben und Sauce etwas einkochen. Orangenfilets und Saft zugeben und mit Sauce Hollandaise verfeinern. Würzen. Passt zu gebratenem Zander.

Gemüsesauce

2 gehäutete und gewürfelte Tomaten
je 50 g rote und grüne gewürfelte Paprikaschote
100 g geschälte und zerkleinerte Salatgurke
1 gehackte Zwiebel
1 geschälte Knoblauchzehe
250 ml Gemüsebrühe
Salz, Pfeffer
Tabasco

Pro Portion ca. 33 kcal/140 kJ
2 g E, 1 g F, 4 g KH

Das Gemüse mit Zwiebel und Knoblauch im Mixer pürieren. Brühe zugeben und mit Salz, Pfeffer und Tabasco abschmecken. Sauce vor dem Servieren kühl stellen. Passt zu frittierten Sardinen.

Barolosauce

300 g frische Perlzwiebeln
100 g gewürfelter Speck
400 ml Barolo-Wein
1 Tl gehackter Thymian
3 El braune Grundsauce (von S. 9)
2 El Crème fraîche
Salz, Pfeffer
Zitronensaft

Pro Portion ca. 308 kcal/1292 kJ
3 g E, 26 g F, 15 g KH

Perlzwiebeln im ausgelassenen Speck schmoren, Wein und Thymian zugeben und Sauce einkochen. Mit brauner Grundsauce und Crème fraîche verfeinern, würzen und mit Zitronensaft abschmecken. Passt zu gebratenem Merlanfilet.

Koriander-Beeren-Sauce

150 g geputzte Stachelbeeren
100 g gelbe gewürfelte Paprika
3 El Olivenöl
1 zerdrückte Knoblauchzehe
1 Bund gehackter Koriander
100 ml Weißwein
300 ml Rinderbrühe
Saft und Schale von 1/2 unbehandelten Zitrone
3 El braune Grundsauce (von S. 9)
Salz, Pfeffer

Pro Portion ca. 182 kcal/763 kJ
6 g E, 12 g F, 8 g KH

Beeren und Paprika im heißen Öl andünsten, Knoblauch und Koriander zugeben. Wein und Brühe angießen und etwas einkochen. Mit Zitrone abschmecken und mit brauner Grundsauce andicken. Würzen. Passt zu gebratener Rotzunge.

Sprossensauce

100 g frische Radieschensprossen
250 ml Weißwein
250 ml Fischfond
250 ml Sahne
3 El weiße Buttersauce (von S. 11)
Salz
Pfeffer

Pro Portion ca. 340 kcal/1428 kJ
3 g E, 30 g F, 5 g KH

Sprossen waschen und 80 g pürieren. Wein, Fond und Sahne aufkochen und zur Hälfte einkochen. Sprossenpüree dazugeben, mit weißer Buttersauce verfeinern und würzen. Restliche Sprossen unterheben. Passt zu Forelle.

5-Gewürz-Sauce

2 El Butter
1/2 Bund fein gewürfelte Frühlingszwiebeln
1/2 Stängel fein gehacktes Zitronengras
300 ml Fischfond
100 ml Weißwein
125 g Crème double
Sojasauce
5-Gewürz-Pulver

Pro Portion ca. 167 kcal/700 kJ
2 g E, 15 g F, 3 g KH

Frühlingszwiebeln und Zitronengras in heißer Butter andünsten. Fond und Wein angießen und etwas einkochen lassen. Crème double unterrühren und mit Sojasauce und 5-Gewürz-Pulver abschmecken. Passt zu Lachs.

Trauben-Wein-Sauce

2 El Butter

1 gehackte Schalotte

200 ml Pinot noir

200 ml Fischfond

200 g gewaschene und von den Kernen befreite blaue Weintrauben

3 El helle Grundsauce (von S. 8)

Salz

Pfeffer

Pro Portion ca. 117 kcal/492 kJ
1 g E, 5 g F, 10 g KH

Schalotte in heißer Butter andünsten. Pinot noir und Fond angießen und etwas einkochen. Weintrauben unterheben. Mit Grundsauce andicken und mit Salz und Pfeffer würzen. Passt zu Seezunge.

Hummersauce

3 El Pflanzenöl

50 g gewürfelter Sellerie

2 El Frühlingszwiebelringe

200 g gewaschene Nordseekrabben

1 Tl Zitronensaft

100 ml Vermouth

300 ml Hummerfond

3 El weiße Buttersauce (von S. 11)

Salz

Pfeffer

Pro Portion ca. 157 kcal/660 kJ
11 g E, 6 g F, 2 g KH

Gemüse und Krabben im heißen Öl 5 Minuten schmoren. Zitronensaft, Vermouth und Fond angießen und Sauce etwas einkochen. Mit weißer Buttersauce andicken und würzen. Passt zu Meerbrasse.

Schafskäsesauce

2 El Olivenöl
1 Bund Frühlingszwiebeln in Ringen
3 eingelegte Paprikaschoten in Streifen
125 ml Weißwein
300 g Schafskäse
3 El Tomaten-Grundsauce (von S. 8)
Salz
Pfeffer
1 Tl getrockneter Oregano

Pro Portion ca. 275 kcal/1155 kJ
14 g E, 20 g F, 5 g KH

Frühlingszwiebeln und Paprikaschoten im heißen Öl 5 Minuten dünsten. Wein zugeben und aufkochen. Käse hineinbröckeln und schmelzen, dann die Sauce pürieren. Mit Tomaten-Grundsauce andicken und mit den Gewürzen pikant abschmecken. Passt zu gegrilltem Seefisch.

Thai-Curry-Sauce

2 El Sonnenblumenöl
100 g geputzte Zuckerschoten
100 g gehackte Champignons
100 g Salatgurke in Stiften
1 gewürfelte Zwiebel
2 gehäutete, gewürfelte Tomaten
je 200 ml Gemüsebrühe und Fischfond
1 Bund gehackter Koriander
2 El gehacktes Zitronengras
3 El Tomaten-Grundsauce (von S. 8)
Salz, Pfeffer
2 Tl rote Currypaste

Pro Portion ca. 112 kcal/468 kJ
4 g E, 7 g F, 8 g KH

Gemüse im heißen Öl andünsten, Brühe und Fond zugeben und aufkochen, Koriander und Zitronengras hinzufügen und 10 Minuten einkochen. Mit Tomaten-Grundsauce andicken und würzen. Passt zu Rotbarsch.

Dattelsauce

2 El Butter
1 gehackte Zwiebel
50 g frische gehackte Datteln
100 g Kokosraspeln
400 ml Hummerfond
1/2 Bund gehackte Zitronenmelisse
1 El Crème double
3 El helle Sojasauce
3 El braune Grundsauce (von S. 9)
Salz
Pfeffer

Pro Portion ca. 348 kcal/1460 kJ
5 g E, 23 g F, 29 g KH

Zwiebel, Datteln und Kokos in heißer Butter schmoren. Hummerfond angießen und etwas einkochen. Restliche Zutaten einrühren und mit brauner Grundsauce andicken. Passt zu Kaisergranat.

Fruchtige Sauce

2 El Sonnenblumenöl
2 gehackte Zwiebeln
2 zerdrückte Knoblauchzehen
300 ml Maracujasaft
250 ml Gemüsebrühe
250 g gestiftelte Möhren
150 g TK-Erbsen
Filets von 1 Orange
3 El braune Grundsauce (von S. 9)
Salz, Pfeffer

Pro Portion ca. 213 kcal/896 kJ
7 g E, 9 g F, 23 g KH

Zwiebeln und Knoblauch im heißen Öl andünsten. Saft und Brühe zugeben. 5 Minuten köcheln. Gemüse und Orangenfilets unterrühren. Mit brauner Grundsauce andicken und würzen. Passt zu Lengfisch.

Anissauce

2 El Butter
1 gewürfelte Mango
125 ml Mangosaft
Saft von 1 Grapefruit
1/2 Tl gemahlener Anis
1/2 Tl gemahlener Koriander
1/2 Tl Kurkuma
150 g saure Sahne
3 El helle Grundsauce (von S. 8)
Salz

Pro Portion ca. 135 kcal/568 kJ
2 g E, 9 g F, 11 g KH

Mango in der heißen Butter 1 Minute schmoren, dann Mango-, Grapefruitsaft und die Gewürze zugeben und Sauce etwas einkochen. Saure Sahne unterrühren und mit heller Grundsauce andicken. Würzen. Passt zu Steinbuttfilet.

Bunte Sauce

3 El Butterschmalz
100 g gestiftelte Zucchini
50 g gewürfelte gelbe Paprika
1 gehackte Knoblauchzehe
1 El Tomatenmark
150 ml Weißwein
250 ml Gemüsebrühe
1 El Kräuter der Provence
3 El Tomaten-Grundsauce (von S. 8)
Salz
Pfeffer
gemahlener Koriander

Pro Portion ca. 120 kcal/790 kJ
3 g E, 13 g F, 14 g KH

Gemüse im heißen Schmalz schmoren, Tomatenmark, Wein und Brühe zugeben und Sauce köcheln. Kräuter unterheben. Mit Tomaten-Grundsauce andicken und würzen.

Senfsauce

1 El Butter
2 gehackte Schalotten
350 ml Kalbsfond
100 g Sahne
3 El Dijonsenf
2 Tl gehackte Kapern
3 El weiße Buttersauce (von S. 11)
Salz
weißer Pfeffer

Pro Portion ca. 202 kcal/847 kJ
8 g E, 17 g F, 4 g KH

Schalotten in der heißen Butter andünsten. Kalbsfond und Sahne angießen und etwas einkochen lassen. Senf und Kapern einrühren. Mit weißer Buttersauce andicken und abschmecken. Passt zu Kochfisch.

Sauce Chantilly

1 El Butter
1/2 Bund gehackte Frühlingszwiebeln
300 ml Sauce Hollandaise (von S. 10)
100 ml geschlagene Sahne
1 Bund gehackter Schnittlauch

Pro Portion ca. 168 kcal/704 kJ
5 g E, 14 g F, 5 g KH

Frühlingszwiebeln in der heißen Butter andünsten, Sauce Hollandaise unterrühren und erhitzen. Die geschlagene Sahne und den Schnittlauch unterheben. Passt zu Hummer, Krebsen.

Sauerrahm-Sauce

200 g saure Sahne
100 g Sahne
2 Zwiebeln in Ringen
2 gewürfelte Äpfel
2 El Zitronensaft
1 Tl Senfpulver
1/2 Tl weißer Pfeffer
1/2 Tl gemahlener Piment
Salz
Zucker
2 El Schnittlauchröllchen

Pro Portion ca. 188 kcal/790 kJ
3 g E, 13 g F, 14 g KH

Sahne mit einem Schneebesen schaumig rühren. Die übrigen Zutaten unterheben und gut abschmecken. Kurz ziehen lassen. Passt zu Matjes- und anderen Heringsfilets.

Pernodsauce

2 El Butter
150 g gewürfelte Kohlrabi
1 Möhre in Scheiben
3 Frühlingszwiebeln in Ringen
150 ml Weißwein
5 El Pernod
200 ml Malzbier
1 El gemahlener Fenchel
1/2 Bund gehackter Kerbel
Zucker, Salz, Pfeffer
3 El braune Grundsauce (von S. 9)

Pro Portion ca. 151 kcal/633 kJ
2 g E, 5 g F, 13 g KH

Das Gemüse in der heißen Butter 5 Minuten schmoren, Weißwein und Pernod angießen und das Malzbier dazugeben. Die Sauce etwas einkochen lassen, dann Fenchel, Kerbel hinzufügen und mit Zucker abschmecken. Braune Grundsauce unterrühren und mit Salz und Pfeffer würzen. Passt zu Schellfisch.

Kalte Safransauce

2 Eigelb
1/2 Tl Senf
1 zerdrückte Knoblauchzehe
1 Döschen Safran
1/2 Tl Pernod
1/2 Tl Fischfond
je 125 ml Oliven- und Sonnenblumenöl
1 El Tomatenmark
je 1 Tl gehacktes Basilikum und Estragon
1 El Crème fraîche
Zitronensaft
Salz
Pfeffer

Pro Portion ca. 610 kcal/2562 kJ
2 g E, 67 g F, 2 g KH

Eigelbe mit Senf, Knoblauch verrühren. Safran in Pernod und Fond rühren und dazugeben. Öl nach und nach unter die Creme schlagen. Kräuter und Crème fraîche unterheben. Abschmecken. Passt zu Rotbarbenfilets.

Fischteller mit Kräutersauce

600 g Spinat
2 Knoblauchzehen
2 El Sonnenblumenöl
300 g Seelachsfilet
Saft von 1/2 Zitrone
Salz
frisch gemahlener Pfeffer
200 g Lotte-Filet
6 Garnelenschwänze
125 g Butter
1 Zwiebel
250 ml trockener Weißwein
250 ml Gemüsebrühe
1 Tl Tomatenmark
1 Prise Cayennepfeffer
2 Bund gehackter Dill
1 Bund gehackter Schnittlauch
frisch geriebene Muskatnuss
Limetten, Sprossen und Kerbel zum Garnieren

Pro Portion ca. 348 kcal/1460 kJ
41 g E, 14 g F, 7 g KH

Spinat putzen und waschen. Knoblauch schälen und klein würfeln, in 1 El Öl andünsten. Den Spinat tropfnass dazugeben. 3 Minuten mitdünsten und warm halten.
Seelachs mit Zitronensaft beträufeln, salzen und pfeffern, beiseite stellen. Lotte in Scheiben schneiden und auf beiden Seiten pfeffern und salzen. Garnelen längs durch den Panzer aufschneiden, den dunklen Darm entfernen, waschen und abtropfen lassen. Anschließend leicht salzen und pfeffern.
3 El Butter mit 1 El Öl erhitzen. Fisch und Garnelenschwänze darin nacheinander ca. 5 Minuten von jeder Seite braten. Herausnehmen und warm halten.
Zwiebel schälen, klein würfeln und im Bratfett dünsten. Wein und Brühe angießen, auf die Hälfte einkochen lassen. Tomatenmark, Cayennepfeffer und restliche Butter in kleinen Stücken untermischen. Aufkochen und mit den Kräutern verrühren. Mit Salz und Pfeffer würzen.
Spinat anrichten und mit Salz und Muskat würzen. Fisch und Garnelenschwänze auf dem Spinat anrichten und mit Sauce beträufeln. Mit Limetten, Sprossen und Kerbel garniert servieren.

Jakobsmuscheln mit Zitrone

4 Schalotten
4 Knoblauchzehen
2 El frisch gehackter Galgant
3 El Erdnussöl
16 frische Jakobsmuscheln
3 El fein gehackte rote Chilischoten
6 El Zitronensaft
2 El brauner Rohrzucker
1–2 El Fischsauce (FP)
4–5 El gehacktes Koriandergrün
Zitronenschale
zum Garnieren

Pro Portion ca. 281 kcal/1176 kJ
24 g E, 9 g F, 11 KH

Die Schalotten und Knoblauchzehen schälen und fein hacken. Zusammen mit dem Galgant im heißen Öl unter Rühren ca. 2–3 Minuten braten.
Jeweils eine ausgelöste Muschel in eine Schale legen und mit der Mischung bestreuen. Die Muscheln in ca. 6–8 Minuten dämpfen.
In der Zwischenzeit Chilischoten, Zitronensaft, Zucker und Fischsauce erhitzen und so lange kochen, bis sich der Zucker gelöst hat.
Die Muscheln in den Schalen anrichten, mit der Sauce beträufeln und mit Koriandergrün und Zitronenschale bestreut servieren.

Jakobsmuscheln in Cidresahne

3 Schalotten

1 Knoblauchzehe

2 El Butter

250 ml Cidre

200 g Sahne

Salz

frisch gemahlener
weißer Pfeffer

1 Tl Zitronensaft

500 g ausgelöste Jakobsmuscheln

1/2 Bund Sauerampfer

Pro Portion ca. 290 kcal/1218 kJ
16 g E, 16 g F, 15 g KH

Die Schalotten und den Knoblauch schälen, die Schalotten fein hacken. In einer Pfanne die Butter zerlassen und Schalotten darin glasig dünsten. Den Knoblauch dazupressen und mitdünsten.
Den Cidre angießen und kochen, bis die Flüssigkeit fast verdampft ist. Die Sahne dazugießen und alles so lange weiter köcheln lassen, bis die Sauce cremig wird.
Pfanneninhalt in eine Schüssel füllen. Anschließend mit dem Mixstab die Masse pürieren. Mit Salz, Pfeffer und einigen Tropfen Zitronensaft abschmecken und wieder in die Pfanne geben.
Die Jakobsmuscheln waschen, den roten Rogensack (Corail) abtrennen und beiseite stellen. Muscheln in der Sauce etwa 3 Minuten zugedeckt gar ziehen lassen.
Den Sauerampfer waschen, trockenschütteln und in feine Streifen schneiden. Mit den Corails in die Sauce geben und nur kurz darin erhitzen.

Sauerampfersauce

150 g Sauerampfer
1 El Butter
100 ml Weißwein
250 ml Gemüsebrühe
3 El Béchamelsauce (von S. 10)
1 Prise Zucker
gemahlene Muskatnuss

Pro Portion ca. 268 kcal/1125 kJ
30 g E, 13 g F, 5 g KH

Sauerampfer waschen, trocknen und in wenig Salzwasser kurz blanchieren. Abschrecken und abtropfen lassen. In der heißen Butter andünsten, dann pürieren. Weißwein und Brühe zugießen und etwas einkochen lassen. Mit Béchamelsauce andicken und die Sauce mit den Gewürzen abschmecken. Passt zu Lachs.

Fürstensauce

200 ml Kalbsfond
125 ml Weißwein
1/2 Bund gehackte gemischte Kräuter
1 gewürfelte Zwiebel
6 weiße Pfefferkörner
25 g Trüffel (Glas)
100 g Krebsfleisch (Dose)
3 El weiße Buttersauce (von S. 11)
Salz, Pfeffer
Cayennepfeffer

Pro Portion ca. 99 kcal/414 kJ
9 g E, 3 g F, 4 g KH

Kalbsfond und Wein erhitzen, Kräuter, Zwiebel und zerdrückte Pfefferkörner darin aufkochen und etwas einkochen lassen. Trüffel in Streifen schneiden, Krebsfleisch würfeln. Trüffel und Krebsfleisch unter die Sauce heben. Mit Buttersauce andicken und abschmecken.

Schinkensauce

2 El Olivenöl
2 gehackte Zwiebeln
100 g gewürfelter Saftschinken
50 g gewürfelter Stangensellerie
2 Tomaten in Achteln
400 ml Fischfond
1/2 Bund gehackter Thymian
3 El braune Grundsauce (von S. 9)
Salz
Pfeffer
Muskat

Pro Portion ca. 185 kcal/777 kJ
7 g E, 15 g F, 5 g KH

Zwiebeln, Schinken und Gemüse im heißen Öl schmoren. Fond und Thymian zugeben und 15 Minuten köcheln. Mit brauner Grundsauce andicken und würzen. Passt zu gegrilltem Lachs.

Kardinalsauce

250 ml Fischfond
250 ml Pilzfond
500 ml Béchamelsauce (von S. 10)
50 g Butter
75 g gekochtes Hummerfleisch
gewürfelte rote Paprika
Cayennepfeffer

Pro Portion ca. 255 kcal/1071 kJ
9 g E, 20 g F, 10 g KH

Fisch- und Pilzfond aufkochen und um die Hälfte reduzieren, Béchamelsauce zugeben, erhitzen und passieren. Hummerfleisch pürieren, mit Butter und Paprika vermischen und unter die Sauce heben. Abschmecken. Passt zu Seefisch.

Gemüse-saucen

Knoblauch-Kartoffel-Sauce

2 Knoblauchzehen
1 Tl Salz
125 g gekochte Kartoffeln
1 Eigelb
250 ml Sahne
Olivenöl
Pfeffer
2 El Zitronensaft

Pro Portion ca. 298 kcal/1250 kJ
5 g E, 26 g F, 3 g KH

Den Knoblauch schälen und mit dem Salz zerdrücken. Kartoffeln schälen und würfeln. Knoblauch und Kartoffeln im Mixer pürieren. Nach und nach Eigelb und Sahne hinzufügen. Nur so viel Öl, wie die Kartoffeln aufnehmen können, dazugießen. Mit Salz, Pfeffer und Zitronensaft abschmecken. Passt zu Zucchini.

Linsensauce mit Avocado

75 g gewaschene rote Linsen
1 geschälte und gewürfelte Avocado
3 El Olivenöl
100 ml Weißwein
250 ml Gemüsebrühe
1 Tl Pesto
Saft und Schale von 1 unbehandelten Zitrone
3 El Tomaten-Grundsauce (von S. 9)
Kurkuma
Salz, Pfeffer

Pro Portion ca. 260 kcal/1092 kJ
6 g E, 19 g F, 13 g KH

Linsen und Avocado im heißen Öl anschmoren. Wein und Brühe angießen, 15 Minuten köcheln. Pesto und Zitrone zugeben und mit Tomaten-Grundsauce andicken. Würzen. Passt zu Schwarzwurzeln.

Sektsauce

150 g gewaschene Himbeeren
200 ml Gemüsebrühe
2 El Zitronensaft
200 ml Sekt
1/2 Bund gehackte Zitronenmelisse
3 El Sauce Hollandaise (von S. 10)
Salz
Zitronenpfeffer

Pro Portion ca. 80 kcal/336 kJ
2 g E, 2 g F, 5 g KH

100 g Himbeeren in der Gemüsebrühe garen, pürieren, dann mit Zitronensaft und Sekt verrühren. Sauce etwas einkochen. Zitronenmelisse zugeben und mit Sauce Hollandaise andicken. Restliche Beeren einrühren und mit Salz und Pfeffer abschmecken. Passt zu grünem Spargel.

Parmasauce

3 El Olivenöl
2 gehackte Schalotten
120 g in Streifen geschnittener Parmaschinken
200 ml Rotwein
200 ml Rinderfond
1/2 Bund gehacktes Basilikum
170 g Blauschimmelkäse
3 El braune Grundsauce (von S. 9)
Salz, Pfeffer

Pro Portion ca. 400 kcal/1680 kJ
16 g E, 32 g F, 4 g KH

Schalotten im heißen Öl andünsten. Schinken zugeben und mitschmoren. Wein und Fond angießen und etwa 20 Minuten köcheln. Basilikum mit zerdrücktem Käse in die Sauce geben. Mit brauner Grundsauce andicken und würzen. Passt zu Wirsing.

Artischocken mit Zitronensauce

4 Artischocken
5 El Zitronensaft
Salz
je 8 Blätter gehackte Minze und Zitronenmelisse
1/2 Bund gehacktes Basilikum
200 ml Sahne
3 El helle Grundsauce (von S. 9)

Pro Portion ca. 210 kcal/882 kJ
8 g E, 16 g F, 11 g KH

Artischockenstiele abschneiden, Schnittflächen mit 1 El Zitronensaft einreiben, in Salzwasser 40 Minuten garen und abtropfen lassen. Kräuter mit restlichem Zitronensaft mischen und 20 Minuten ziehen lassen. Saft abgießen und unter Rühren mit der Sahne mischen. Die Sahne mit heller Grundsauce andicken und erwärmen, nicht kochen. Die Kräuter unterheben.

Fleischsauce

2 gewürfelte Zwiebeln
1 fein gehackte Knoblauchzehe
2 El Kräuterbutter
100 g gewürfelter Schweinebraten
350 ml Kalbsfond
1/2 Bund gehackter Salbei
2 EL Crème fraîche
3 El braune Grundsauce (von S. 9)
Salz Pfeffer

Pro Portion ca. 211 kcal/887 kJ
14 g E, 14 g F, 7 g KH

Zwiebeln und Knoblauch in Kräuterbutter andünsten. Fleisch zugeben und anbraten. Kalbsfond angießen, Sauce etwas einkochen. Crème fraîche unterrühren. Mit brauner Grundsauce andicken. Würzen.

Pfeffersauce

100 g Tartar
2 El Knoblauchöl
1 El grüne Pfefferkörner
400 ml Fleischbrühe
je 1/2 Bund gehackter Thymian und Majoran
2 El Crème double
3 El braune Grundsauce (von S. 9)
Salz, Pfeffer

Pro Portion ca. 153 kcal/643 kJ
10 g E, 8 g F6 g KH

Tartar in Öl anbraten. Pfefferkörner und Brühe zugeben. Etwas einkochen, Kräuter und Crème double unterrühren. Mit brauner Grundsauce andicken. Würzen.

Süß-saure Sauce

1 geschälte und gewürfelte Papaya
Saft abgeriebene Schale
von 1 Limette
350 ml Aprikosensaft
1 Tl Kurkuma
1/2 Bund gehackter
Koriander
3 El gehackte Pistazien
3 El helle Grundsauce (von S. 9)
Salz, Pfeffer

Pro Portion ca. 445 kcal/1868 kJ
30 g E, 20 g F34 g KH

Papaya, Limettensaft und -schale mit Aprikosensaft erhitzen und Kurkuma einrühren. Sauce 10 Minuten einkochen. Koriander und Pistazien unterheben und mit heller Grundsauce andicken. Würzen.

Sherrysauce

1 gehackte Zwiebel
2 zerdrückte Knoblauchzehen
2 El Olivenöl
200 ml Sherry
200 ml Pilzfond
3 El Tomaten-Grundsauce (von S. 9)
2 El Crème fraîche
Salz, Pfeffer
Paprikapulver
1/2 Bund gehackte Petersilie

Pro Portion ca. 147 kcal/616 kJ
1 g E, 9 g F, 3 g KH

Zwiebeln und Knoblauch im heißen Öl anschmoren. Pilzfond und Sherry angießen und etwas einkochen lassen. Mit Tomatengrundsauce andicken und mit Crème fraîche und den Gewürzen abschmecken. Petersilie unterheben. Passt zu Chinakohl.

Kressesauce

2 El Butter
2 gewürfelte Möhren
1 gehackte Zwiebel
1 El Sojasauce
100 ml Weißwein
200 ml Kalbsfond
3 hart gekochte gewürfelte Eier
3 El helle Grundsauce (von S. 9)
1 Kästchen Kresse
Salz, Pfeffer

Pro Portion ca. 173 kcal/727 kJ
12 g E, 11 g F, 4 g KH

Butter erhitzen und Möhren sowie Zwiebel darin andünsten. Sojasauce, Wein und Kalbsfond zugeben und köcheln. Sauce pürieren und Eier unterrühren. Mit heller Grundsauce verfeinern und Kresse unterheben. Würzen. Passt zu Zuckerschoten und grünen Bohnen.

Kerbelsauce

3 El Olivenöl
1 Bund gehackter Kerbel
1 fein gehackte rote Chilischote
400 ml Gemüsebrühe
3 El braune Basissauce (von S. 9)
Salz, Pfeffer
Paprikapulver

Pro Portion ca. 120 kcal/502 kJ
1 g E, 12 g F, 2 g KH

Das Öl erhitzen und Kerbel sowie Chili darin andünsten. Gemüsebrühe angießen und die Sauce etwas einkochen lassen. Mit brauner Grundsauce andicken und mit den Gewürzen abschmecken. Passt zu frischen Erbsen und Sojakeimen.

Zitronenmayonnaise

1 El Dijonsenf
3 Eigelb
Saft von 2 Zitronen
8 El Sonnenblumenöl
Salz
weißer Pfeffer

Pro Portion ca. 154 kcal/647 kJ
3 g E, 15 g F, 2 g KH

Senf und Eigelb gut miteinander verrühren, dann den Zitronensaft nach und nach zugeben und das Öl langsam einfließen lassen. Alles unter Rühren zu einer cremigen Sauce verarbeiten. Mit Salz und Pfeffer abschmecken. Passt zu Gemüsesalaten.

Chilisauce

2 El Maismehl
150 ml Milch
150 ml Gemüsebrühe
3 gehackte Jalapeno-Chilis
40 g geriebener Emmentaler
3 El Tomaten-Grundsauce (von S. 9)
1 El gehacktes Basilikum
Salz, Pfeffer

Pro Portion ca. 148 kcal/620 kJ
9 g E, 9 g F, 9 g KH

Mehl mit etwas Milch glatt rühren. Restliche Milch und die Brühe erhitzen und mit der angerührten Milch andicken. Chilis, Käse und Tomaten-Grundsauce zugeben. Aufkochen und mit Basilikum und Gewürzen mischen. Passt zu gefüllten Paprikaschoten.

Pimentsauce

Salz
500 ml Hühnerbrühe
2 El Maismehl
1/2 Tl Pimentpulver
gemahlene Muskatnuss
Salz, Pfeffer
2 El Zitronensaft
3 El helle Grundsauce (von S. 9)
je 1/2 Bund gehackte Petersilie und Koriander

Pro Portion ca. 668 kcal/2804 kJ
30 g E, 35 g F, 58 g KH

Hühnerbrühe aufkochen, mit dem Maismehl verrühren und etwas einkochen. Die Gewürze einrühren. Mit heller Grundsauce andicken und Kräuter unterheben. Passt zu Lauch.

Safransauce

2 gewürfelte Zwiebeln
2 gehackte Knoblauchzehen
2 El Olivenöl
250 g Paprikawürfel
100 g gehackte Mandeln
400 ml Gemüsebrühe
1/2 Tl Safran
3 El helle Grundsauce (von S. 9)
Tabasco
Salz

Pro Portion ca. 308 kcal/1292 kJ
9 g E, 27 g F, 8 g KH

Zwiebeln und Knoblauch im Olivenöl andünsten. Paprika zugeben und mitschmoren. Mandeln und Brühe zufügen, 20 Minuten köcheln. Safran und helle Grundsauce einrühren, mit Tabasco und Salz abschmecken. Passt zu Spinat.

Schnittbohnen mit Asia-Sauce

500 g grüne Bohnen, Salz, 3 El Olivenöl
3 in Ringe geschnittene Frühlingszwiebeln
200 g in Streifen geschnittene Hühnerbrust
15 g eingeweichte chinesische Pilze
300 ml Hühnerbrühe
5 El Reiswein
3 El Tomaten-Grundsauce (von S. 9)
Pfeffer, süße Sojasauce

Pro Portion ca. 295 kcal/1238 kJ
6 g E, 21 g F, 12 g KH

Bohnen waschen, putzen, in ca. 3 cm lange Stücke schneiden und in Salzwasser garen, abtropfen lassen. Frühlingszwiebeln in heißem Öl andünsten, Hühnerbrust zugeben und anbraten. Abgetropfte Pilze kurz mitschmoren. Brühe, Pilzeinweichwasser und Reiswein unterrühren und etwas einkochen lassen. Mit Tomaten-Grundsauce andicken und mit Salz, Pfeffer und Sojasauce würzen.

Weinsauce

1 El Butter
2 gehackte Schalotten
3/8 l trockener Riesling
125 g kalte Butter
Salz
weißer Pfeffer
etwas Cayennepfeffer
Worcestersauce

Pro Portion ca. 330 kcal/1386 kJ
1 g E, 28 g F, 4 g KH

Butter erhitzen und Schalotten darin andünsten. Mit Wein aufgießen und etwas einkochen lassen. Die kalte Butter mit dem Schneebesen kräftig unterrühren, bis die Sauce cremig wird. Mit den Gewürzen und Worcestersauce abschmecken. Passt zu Chicorée.

Tomatensauce

2 gehackte Zwiebeln
2 gehackte Knoblauchzehen
2 El Olivenöl
150 ml Weißwein
200 ml Hühnerfond
2 El Obstessig
1 Tl gehackter Oregano
1 Tl gehacktes Basilikum
3 El Tomaten-Grundsauce (von S. 9)
Salz, Pfeffer, Cayennepfeffer, Zucker

Pro Portion ca. 190 kcal/800 kJ
10 g E, 9 g F, 11 g KH

Zwiebeln und Knoblauch im heißen Öl andünsten. Wein, Fond, Essig und Kräuter zugeben. Etwas einkochen, mit Tomaten-Grundsauce andicken. Mit Gewürzen und Zucker abschmecken. Passt zu Auberginen und Zucchini.

Tomaten-Chili-Sauce

1/2 Bund gehackte Frühlingszwiebeln
2 El Knoblauchbutter (FP)
100 g gewürfeltes Hähnchenbrustfilet
1 fein gehackte rote Chilischote
100 ml Weißwein
300 ml Geflügelfond
3 El Tomaten-Grundsauce (von S. 9)
Salz, Pfeffer

Pro Portion ca. 162 kcal/678 kJ
11 g E, 10 g F, 3 g KH

Frühlingszwiebeln in der heißen Butter andünsten. Hähnchenfleisch und Chili zugeben und gut durchbraten. Weißwein und Fond angießen und etwas einkochen lassen. Mit Tomaten-Grundsauce andicken und würzen. Passt zu Mangold.

Limettensauce

225 g Joghurt
150 g Crème fraîche
125 ml Gemüsebruhe
1 El Mehl
geriebene Schale und Saft von 1 Limette
Salz, Pfeffer

Pro Portion ca. 170 kcal/714 kJ
3 g E, 15 g F, 5 g KH

Joghurt und Crème fraîche in einem Topf erhitzen, Gemüsebrühe und Mehl einrühren und erwärmen, bis die Sauce andickt. Limettensaft und -schale zugeben und mit Salz und Pfeffer abschmecken. Passt zu Spitzkohl.

Champignons mit Kräuter-Joghurt-Sauce

300 g Champignons
100 g Mayonnaise, 100 g Joghurt
50 ml Sahne
3 hart gekochte Eier
2 Bund gehackte gemischte Kräuter
1 Schalotte
Salz, Pfeffer, 1 Prise Zucker

Pro Portion ca. 329 kcal/1383 kJ
10 g E, 31 g F, 4 g KH

Die Champignons putzen und sauber bürsten, anschließend in Scheiben hobeln. Die Mayonnaise mit dem Joghurt und der Sahne verrühren. Die Eier schälen und klein hacken. Eier mit den Kräutern unter die Mayonnaise rühren. Schalotte sehr fein würfeln und alles miteinander verrühren. Die Sauce mit Salz, Pfeffer und Zucker abschmecken und über die Champignons verteilen.

Kurkumasauce

2 gehackte Zwiebeln
3 gehäutete, gehackte Tomaten
2 El Öl
100 g gemahlene Cashewkerne
1 Tl Kurkuma
1 Tl Chili
1 Tl gemahlener Koriander
1 Tl Salz
100 g Vollmilchjoghurt
1/2 l Gemüsebrühe

Pro Portion ca. 231 kcal/968 kJ
7 g E, 17 g F, 13 g KH

Zwiebeln und Tomaten im heißen Öl andünsten. Cashewkerne und Gewürze mit dem Joghurt verrühren und zugeben. Mit Brühe auffüllen und 10 Minuten köcheln. Passt zu Blumenkohl und Okra.

Zwiebelsauce

300 g gehackte Zwiebeln
5 El Butter
3 El Béchamelsauce (von S. 10)
3 El Crème double
Salz, Pfeffer
gemahlene Muskatnuss
Zitronensaft nach Geschmack

Pro Portion ca. 140 kcal/587 kJ
1 g E, 13 g F, 5 g KH

Die Zwiebeln in heißer Butter 10 Minuten glasig dünsten. Die Béchamelsauce erhitzen und zu den Zwiebeln geben. Aufkochen und 20 Minuten köcheln lassen. Sauce pürieren und Crème double einrühren, bis die Sauce andickt. Mit Gewürzen und Zitrone abschmecken. Passt zu überbackenem Gemüse.

Mandelsauce

1 gehackte Schalotte
100 g gehackte Mandeln
1 El Butter
125 ml Weißwein
250 ml Gemüsebrühe
1 Tl Curry
3 El helle Grundsauce (von S. 9)
2 El Crème fraîche
Salz, Pfeffer, gemahlener Kreuzkümmel
Zitronensaft

Pro Portion ca. 227 kcal/951 kJ
5 g E, 19 g F, 4 g KH

Schalotte und Mandeln in der heißen Butter andünsten. Mit Weißwein und Brühe auffüllen. Etwas einkochen, Curry einrühren. Mit heller Grundsauce andicken und mit den restlichen Zutaten abschmecken. Passt zu Blumenkohl und Kohlrabi.

Biersauce

4 Eigelb
Salz
3/8 l Altbier
schwarzer Pfeffer
Cayennepfeffer
etwas Zitronensaft

Pro Portion ca. 158 kcal/664 kJ
4 g E, 7 g F, 15 g KH

Eigelb mit etwas Salz schaumig schlagen und in ein heißes, nicht kochendes Wasserbad stellen. Unter Rühren das Bier einfließen lassen, bis eine dickcremige Sauce entstanden ist. Die Sauce mit den Gewürzen und Zitronensaft abschmecken. Passt zu Paprika, Zucchini und Auberginen.

Brokkoli mit Eigelb-Zitronen-Sauce

700 g Brokkoli
125 ml Gemüsebrühe
Saft von 3 Zitronen
abgeriebene Schale von 1 unbehandelten Zitrone
3 Eigelb, Saucenbinder
Salz, schwarzer Pfeffer
100 ml helle Grundsauce (von. S. 9)

Pro Portion ca. 137 kcal/575 kJ
9 g E, 6 g F, 11 g KH

Brokkoli putzen, waschen und in Röschen teilen, anschließend in Salzwasser bissfest garen und abtropfen lassen. Die Gemüsebrühe aufkochen. Zitronensaft und Zitronenschale in die Brühe rühren und aufkochen. Eigelb verquirlen und in dünnem Strahl zugeben, etwas Saucenbinder unter Rühren in die Sauce geben. Sauce mit der Grundsauce verfeinern, vom Herd nehmen und würzen.

Möhrensauce

1 Tl Kurkuma, 1 Tl gemahlener Koriander
6 El Olivenöl
350 g gehackte Möhren
1 El Honig
200 ml Gemüsebrühe
200 ml Weißwein
2 El gehacktes Koriandergrün
1/2 Tl Chili, Salz, Pfeffer
3 El Zitronensaft

Pro Portion ca. 239 kcal/1001 kJ
1 g E 20 g F 7 g KH

Kurkuma und Koriander in 4 El heißem Öl anschmoren. Möhren und Honig zugeben und bräunen. Brühe und Wein angießen und 20 Minuten köcheln. Sauce pürieren und in einem Topf aufkochen. Koriandergrün und Chili einrühren und abschmecken. Restliches Öl mit Zitronensaft unterheben. Passt zu Blumenkohl und Schwarzwurzeln.

Wermutsauce

50 g in Streifen geschnittener Frühstücksspeck
2 El Butter
1 gehackte Frühlingszwiebel
1 gewürfelte Möhre
200 ml trockener Wermut
200 ml Rinderbrühe
je 1/2 Bund gehacktes Basilikum und Thymian
3 El braune Grundsauce (von S. 9)
Salz, Pfeffer

Pro Portion ca. 168 kcal/705 kJ
5 g E 8 g F 9 g KH

Den Speck in der heißen Butter auslassen, die Zwiebel darin andünsten, die Möhre kurz mitschmoren. Wermut und Brühe angießen und 15 Minuten köcheln. Kräuter unterheben und mit brauner Grundsauce andicken. Mit Salz und Pfeffer abschmecken. Passt zu Chicorée.

Erbsensauce

200 g gelbe Erbsen
400 ml Gemüsebrühe
200 ml Pilzfond
1/2 Bund Petersilie und Thymian
3 El weiße Buttersauce (von S. 11)
Salz, Pfeffer
gemahlene Muskatnuss

Pro Portion ca. 107 kcal/448 kJ
4 g E, 6 g F 9 g KH

Die gewaschenen Erbsen in Brühe und Fond weich kochen, anschließend pürieren. Die Kräuter waschen, trocknen und fein hacken. Unter das Püree rühren und mit der weißen Buttersauce verfeinern. Mit den Gewürzen abschmecken. Passt zu Pilzen und Kohlrabi.

Paprikasauce

3 gelbe Paprikaschoten
600 ml Gemüsebrühe
1 Tl Chilisauce (FP)
1 zerdrückte Knoblauchzehe

Pro Portion ca. 53 kcal/224 kJ
2 g E, 3 g F, 4 g KH

Die Paprikaschoten unter den Grill legen, bis die Haut Blasen wirft. Paprika häuten, Fruchtfleisch hacken. Mit Brühe, Chilisauce und Knoblauch 20 Minuten köcheln, dann pürieren und erneut erhitzen. Passt zu grünem Spargel.

Bagna Cauda

8 Sardellenfilets
3/8 l Sahne
100 g Butter
2 zerdrückte Knoblauchzehen

Pro Portion ca. 610 kcal/2562 kJ
33 g E, 53 g F, 3 g KH

Die Sardellen waschen, trocknen und fein pürieren. Sahne in einem Topf auf die Hälfte einkochen. Butter erhitzen, Sardellenpüree und Knoblauch darin andünsten. Die Sahne mit dem Schneebesen unterrühren, Sauce nicht mehr kochen. Passt zu rohem Gemüse als heißer Dip.

Sauce Mornay

3 El Béchamelsauce (von S. 10)
100 g Sahne
30 g frisch geriebener Emmentaler
30 g frisch geriebener Parmesan
25 g kalte Butter

Pro Portion ca. 203 kcal/852 kJ
6 g E, 19 g F, 2 g KH

Béchamelsauce nach Grundrezept zubereiten. Sahne zugeben und die beiden Käsesorten unter Rühren darin schmelzen lassen. Die kalte Butter in Flöckchen unterrühren, bis die Sauce cremig ist. Passt zu Brokkoli, Spargel und Schwarzwurzeln.

Kräutersauce

2 gehackte Zwiebeln
2 zerdrückte Knoblauchzehen
2 El Butter
1/2 Bund gehackte Kräuter
2 El Senf
400 ml Gemüsebrühe
3 El helle Grundsauce (von S. 9)
2 El Crème fraîche
Salz, Pfeffer
Zitronensaft

Pro Portion ca. 97 kcal/408 kJ
1 g E, 8 g F, 4 g KH

Zwiebeln und Knoblauch in der heißen Butter andünsten. Kräuter mitdünsten. Senf und Gemüsebrühe zufügen und etwas einkochen. Mit heller Grundsauce verfeinern, Crème fraîche einrühren, würzen und mit Zitronensaft abschmecken. Passt zu Karotten.

Gurke mit Spinatsauce

4 Gurken, 2 El Butter
1 gehackte Zwiebel
2 zerdrückte Knoblauchzehen, 2 El Olivenöl
100 g in Streifen geschnittener Spinat
100 g gewürfelter Schafskäse
400 ml Gemüsebrühe, 2 El Zitronensaft
3 El Tomaten-Grundsauce (von S. 9)
Salz Pfeffer, Chilipulver, 1 Tl gehackter Oregano

Pro Portion ca. 159 kcal/668 kJ
7 g E 12 g F, 8 g KH

Gurken putzen waschen und klein schneiden, anschließend in der Butter dünsten und salzen. Inzwischen Zwiebel und Knoblauch im heißen Öl andünsten. Spinat und Schafskäse kurz mitschmoren. Brühe zugießen und etwas einkochen. Zitronensaft hinzufügen und mit Tomaten-Grundsauce andicken. Mit Gewürzen und Oregano abschmecken. Gurken mit der Sauce anrichten und servieren.

Saure Sahnesauce

250 ml saure Sahne
100 ml Joghurt
150 ml Sahne
1–2 Tl Zitronensaft
1/2 Tl Cayennepfeffer
Salz
weißer Pfeffer

Pro Portion ca. 203 kcal/853 kJ
4 g E, 19 g F, 5 g KH

Saure Sahne, Joghurt und Sahne miteinander verrühren. Mit Zitronensaft und den Gewürzen abschmecken und 10 Minuten kühl stellen. Passt zu gebratenen und gekochten Kartoffeln.

Tahinsauce

150 g Tahinpaste
400 ml Gemüsebrühe
1 gehackte Knoblauchzehe
2 El Limettensaft
3 El Tomatenmark
Salz
Pfeffer
Tabasco
Sojasauce
3 El braune Grundsauce (von S. 9)

Pro Portion ca. 268 kcal/1123 kJ
8 g E, 21 g F, 12 g KH

Tahin mit Gemüsebrühe verrühren und mit Knoblauch und Limettensaft aufkochen. Um ein Drittel einkochen lassen. Tomatenmark zugeben, würzen und mit der braunen Grundsauce andicken. Passt zu Chinakohl und Wirsing.

Haferflockensauce

2 Zwiebeln, 3 El Butter
50 ml Cognac
250 ml Gemüsebrühe
1/2 Bund Petersilie
50 g kernige Haferflocken
Salz, Pfeffer, Pimentpulver, Muskatnuss
3 El braune Grundsauce (von S. 9)

Pro Portion ca. 249 kcal/1045 kJ
9 g E, 15 g F, 12 g KH

Die gewürfelten Zwiebeln in der erhitzten Butter andünsten. Das Ganze mit dem Cognac und der Gemüsebrühe angießen. In Streifen geschnittene Petersilie unterheben und alles etwas einkochen lassen. Haferflocken in die Sauce rühren. Das Ganze mit Salz, Pfeffer, etwas Pimentpulver und frisch geriebener Muskatnuss abschmecken. Mit der braunen Grundsauce andicken. Passt zu Kohlrabi.

Peperonisauce

100 g Hinterschinken
1 gewürfelte Zwiebel, 1 rote Peperoni in Ringen
3 El Butter, 350 ml Gemüsebrühe
100 g geschälte Tomaten aus der Dose
1/2 Bund glatte Petersilie
3 El Tomaten-Grundsauce (von S. 8)
Salz, Pfeffer

Pro Portion ca. 174 kcal/732 kJ
6 g E, 15 g F, 3 g KH

Hinterschinken in Streifen schneiden. Mit Zwiebel und Peperoni in der erhitzten Butter andünsten. Mit Gemüsebrühe angießen und etwas einkochen lassen. Tomaten in den Fond geben und erwärmen. Petersilie waschen, trocknen, die Blättchen in Streifen schneiden und unter die Sauce rühren. Das Ganze mit der Tomaten-Grundsauce andicken und mit Salz und Pfeffer abschmecken.

Wildkräutersauce

2 Schalotten, 2 Knoblauchzehen
50 g Löwenzahn, 50 g Brunnenkresse,
50 g Bärlauch
2 El Kräuterbutter, 400 ml Fleischbrühe
2 El Sahne, 2 El Zitronensaft
3 El Tomaten-Grundsauce (von S. 8)
Salz, Pfeffer, Chilipulver

Pro Portion ca. 160 kcal/671 kJ
7 g E, 12 g F, 6 g KH

Schalotten schälen und in Ringe schneiden. Knoblauchzehen schälen und fein hacken. Löwenzahn, Brunnenkresse und Bärlauch waschen und trocknen. Kräuterbutter erhitzen. Die Schalotten, den Knoblauch und die Wildkräuter darin andünsten. Mit Fleischbrühe angießen und etwas einkochen lassen. Sahne und Zitronensaft unter die Sauce rühren. Die Sauce mit der Tomaten-Grundsauce andicken und würzen.

Papayasauce

1 Limette, 1 reife Papaya
350 ml Aprikosensaft
1 Tl Kurkumapulver
1/2 Bund Koriander, 3 El gehackte Pistazienkerne
3 El helle Grundsauce (von S. 8)
Salz, Pfeffer

Pro Portion ca. 159 kcal/667 kJ
4 g E, 7 g F, 14 g KH

Von der Limette die Schale abreiben und den Saft auspressen. Papaya schälen und das Fruchtfleisch in Würfel schneiden. Aprikosensaft erhitzen. Die Papayawürfel, den Limettensaft und die Schale darin erwärmen. Kurkumapulver unterrühren. Das Ganze ca. 10 Minuten einkochen lassen. Koriander waschen, trockenschütteln, fein hacken und unter die Sauce heben. Pistazienkerne dazugeben. Das Ganze mit der hellen Grundsauce andicken und mit Salz und Pfeffer abschmecken.

Krabbensauce

2 El Butter
1 gehackte Schalotte
150 g Krabben
2 El Zitronensaft
400 ml Hummerfond
1/2 Bund gehackter Dill
3 El helle Grundsauce (von S. 8)
Salz
weißer Pfeffer
Cayennepfeffer

Pro Portion ca. 118 kcal/495 kJ
10 g E, 7 g F, 4 g KH

Schalotte in der heißen Butter andünsten. Krabben dazugeben und anbraten. Zitronensaft und Hummerfond angießen und etwas einkochen lassen. Dill unterheben und mit heller Grundsauce andicken. Würzen. Passt zu Fenchel und Chicorée.

Pastasaucen

Kräuter-Sahnesauce

Je 1/4 Bund gehackte Kräuter
(Petersilie, Kerbel, Basilikum, Schnittlauch)

1 grob zerkleinerte Knoblauchzehe

200 ml Sahne

50 ml Weißwein

Salz, Pfeffer

Muskatnuss

Pro Portion ca. 166 kcal/697 kJ
2 g E, 15 g F, 4 g KH

Die Kräuter mit dem Knoblauch im Mixer pürieren. Weißwein in einem Topf erhitzen, Sahne zugeben und mit Salz, Pfeffer und Muskat abschmecken. Zum Schluss die gehackten Kräuter unterheben. Passt zu allen Pastasorten.

Tomaten-Kerbel-Sauce

2 El Olivenöl

300 g geschälte und gewürfelte Tomaten

1 Becher Crème fraîche

Salz, Pfeffer

geriebene Muskatnuss

1 El gehackter Kerbel

Pro Portion ca. 179 kcal/750 kJ
2 g E, 18 g F, 4 g KH

Das Öl in einem Topf erhitzen, Tomaten darin etwa 5 Minuten schmoren, Crème fraîche unterrühren und mit den Gewürzen abschmecken. Zuletzt den Kerbel unter die Sauce heben. Passt zu grünen Bandnudeln und Spaghetti.

Rucolasauce

250 g Sahne
150 g grob gehackte Rauke (Rucola)
175 g geriebener Pecorino
Salz, Pfeffer

Pro Portion ca. 253 kcal/1061 kJ
13 g E, 21 g F, 3 g KH

Die Sahne in einem Topf erhitzen, die Rauke und den Käse unterheben und unter Rühren den Käse schmelzen lassen. Mit Salz und Pfeffer abschmecken. Passt zu Spaghetti, Tagliatelle und Linguine.

Zitronen-Sahne-Sauce

1 unbehandelte Zitrone
250 ml Sahne
2 El Cognac
Saftvon 1/2 Zitrone
Salz
weißer Pfeffer

Pro Portion ca. 209 kcal/876 kJ
2 g E , 19 g F, 6 g KH

Die Schale der Zitrone abreiben, Zitrone filettieren und das Fruchtfleisch in kleine Würfel schneiden. Sahne und Cognac erhitzen, Zitronenwürfel unterrühren und 5 Minuten köcheln. Mit Zitronensaft, Salz und Pfeffer abschmecken. Passt zu Spaghetti, Bandnudeln und Makkaroni.

Spaghetti mit Oliven-Tomaten-Sauce

500 g Spaghetti
3 Knoblauchzehen
30 g getrocknete Tomaten
2 El Olivenöl, Salz
3/8 l Gemüsebrühe
75 g schwarze Oliven ohne Stein
2 El frisch gehacktes Basilikum

Pro Portion ca. 221 kcal/929 kJ
6 g E, 16 g F, 5 g KH

Spaghetti in Salzwasser bissfest garen. Den Knoblauch schälen und fein hacken. Die Tomaten klein schneiden. Das Öl in einer Pfanne erhitzen und den Knoblauch darin andünsten. Tomaten und Gemüsebrühe zugeben, aufkochen und 10 Minuten köcheln. Oliven hacken und mit Basilikum zugeben. Abgetropfte Nudeln mit der Sauce servieren.

Ravioli mit Pesto genovese

500 g Ravioli
2 El Pinienkerne
4 Knoblauchzehen
150 g gehacktes Basilikum
Salz
6 El frisch geriebener Parmesan
6 El Olivenöl

Pro Portion ca. 575 kcal/2417 kJ
16 g E, 46 g F, 26 g KH

Ravioli in Salzwasser garen. Die Pinienkerne in einer Pfanne ohne Fett rösten. Knoblauch schälen und grob hacken. Pinienkerne und Knoblauch mit Basilikum in einen Mixer geben und zerkleinern. Dann Salz, Parmesan und Olivenöl zugeben und weiterrühren, bis eine cremige Sauce entstanden ist. Abgetropfte Ravioli mit Pesto servieren.

Tagliatelle mit Knoblauch-Chili-Sauce

500 g Tagliatelle
Salz
4 Knoblauchzehen
1 mittelgroße rote Chilischote
100 ml Olivenöl

Pro Portion ca. 445 kcal/1869 kJ
25 g E, 34 g F, 25 g KH

Pasta garen. Knoblauch schälen und hacken. Die Chili putzen, waschen, entkernen und ebenfalls fein hacken. Das Olivenöl in einer Pfanne erhitzen und Knoblauch sowie Chili darin anschmoren, bis sie leicht Farbe angenommen haben. Mit Salz würzen. Abgetropfte Tagliatelle in die Pfanne geben und mit der Sauce vermischen.

Ravioli mit Morchelrahm

500 g Ravioli
2 fein gehackte Schalotten
10 g Butter
100 g fein gehackte Champignons
15 g getrocknete eingeweichte Morcheln
6 El trockener Weißwein
100 ml Sahne
weißer Pfeffer, Salz

Pro Portion ca. 613 kcal/2576 kJ
17 g E, 19 g F, 88 g KH

Ravioli in Salzwasser bissfest garen. Inzwischen die Schalotten in der heißen Butter andünsten. Champignons mitschmoren. Dem Morchel-Einweichwasser Wein zugeben und einkochen lassen. Sahne und Morcheln zugeben und 5 Minuten köcheln. Sauce mit Pfeffer würzen. Ravioli abgießen, abtropfen lassen und mit der Sauce servieren.

Petersiliensauce mit Mandeln

250 g grob gehackte Mandeln
3 El Petersilie
100 g geriebener Gruyère
250 ml Olivenöl
3 El Schnittlauchröllchen
Salz
schwarzer Pfeffer

Pro Portion ca. 948 kcal/3980 kJ
18 g E, 97 g F, 4 g KH

Mandeln und Petersilie im Mixer fein pürieren. Den Käse dazugeben und unterrühren. Das Öl nach und nach zufügen, bis eine feste Paste entsteht. Mit Schnittlauch, Salz und Pfeffer abschmecken. Passt zu grünen Nudeln, Spaghetti und Gnocchi.

Steinpilzsauce

30 g getrocknete Steinpilze
3 El Butter
2 gewürfelte Zwiebeln
250 g saure Sahne
3 El Sherry
Salz
schwarzer Pfeffer

Pro Portion ca. 159 kcal/668 kJ
5 g E, 13 g F, 5 g KH

Pilze in 750 ml Wasser einweichen. Butter zerlassen und Zwiebeln darin andünsten. Pilze mit Einweichwasser und saurer Sahne zugeben und 15 Minuten einkochen lassen. Sherry unterrühren und Sauce mit Salz und Pfeffer abschmecken. Passt zu Spaghetti.

Tomatensauce mit Butter

100 g Butter

5 fein gehackte Schalotten

700 g gehäutete, entkernte und gewürfelte Tomaten

Salz

schwarzer Pfeffer

3 El frisch gehacktes Basilikum

Pro Portion ca. 228 kcal/956 kJ
3 g E, 21 g F, 7 g KH

Butter in einem Topf erhitzen, die Schalotten darin anschmoren. Tomaten dazugeben und alles etwa 10 Minuten schmoren. Mit Salz und Pfeffer abschmecken. Zuletzt das Basilikum untermischen. Passt zu Ravioli und Tortellini.

Mozzarellasauce

3 El Olivenöl

1 gewürfelte Schalotte, 1 gehackte Knoblauchzehe

250 g gehäutete, gewürfelte Tomaten

2 El Aceto Balsamico

200 ml Rotwein

200 ml Gemüsebrühe

100 g Mozzarella

3 El Tomaten-Grundsauce (von S. 9)

1 Bund frisch gehacktes Basilikum

Salz, Pfeffer

Pro Portion ca. 221 kcal/929 kJ
6 g E, 16 g F, 5 g KH

Olivenöl erhitzen, Schalotte, Knoblauch und Tomaten darin anschmoren und köcheln. Essig, Rotwein und Brühe angießen. Mozzarella in Streifen schneiden und unterheben. Sauce leicht einkochen lassen. Mit Tomaten-Grundsauce andicken. Basilikum unterheben, Sauce würzen. Passt zu Lasagne, Gnocchi und Spaghetti.

Fussili mit Spargelsauce

500 g Fussili, Salz
750 g grüner Spargel
1 gewürfelte Zwiebel
2 El Butter, 250 ml Sahne
3 gehäutete und gewürfelte Tomaten
250 g gekochte Putenbrust in Scheiben
je 1/2 Bund gehackte Petersilie und Basilikum
Pfeffer

Pro Portion ca. 584 kcal/2453 kJ
26 g E, 39 g F, 33 g KH

Fussili garen. Spargel putzen, unteres Drittel schälen und den Spargel in Salzwasser bissfest garen. Zwiebel in Butter andünsten. Sahne angießen und aufkochen. Tomaten einrühren und 10 Minuten köcheln. Putenbrust in Streifen und Spargel in Stücke schneiden, mit den Kräutern unterheben. Mit Pfeffer würzen und zur Pasta servieren.

Ravioli mit Flusskrebs-Sauce

500 g Ravioli, Salz
200 g frische geschälte Erbsen
2 Zucchini, 2 Möhren
200 g Rucola
2 El Butter
300 g gekochte Flusskrebse
4 El Sahne, 2 El Sherry
Pfeffer, 1/2 Bund gehackter Dill

Pro Portion ca. 654 kcal/2747 kJ
36 g E, 12 g F, 97 g KH

Ravioli garen. Erbsen waschen und 5 Minuten kochen. Zucchini putzen, waschen und würfeln. Möhren schälen und reiben. Rucola waschen, trocknen und hacken. Zucchini und Möhren in Butter 5 Minuten dünsten. Erbsen, Rucola und Flusskrebse unterheben und 5 Minuten garen. Sauce mit den restlichen Zutaten abschmecken und zu den Ravioli reichen.

Tortellini mit Garnelensauce

500 g Tortellini, Salz
200 g Butter
1 fein gehackte Zwiebel
1/2 Tl Muskat
250 g gekochte geschälte Garnelen
3 El frisch gehackter Dill
schwarzer Pfeffer

Pro Portion ca. 715 kcal/3005 kJ
21 g E, 60 g F, 9 g KH

Tortellini in Salzwasser bissfest garen. Inzwischen 50 g Butter schmelzen, Zwiebel darin andünsten. Muskat zugeben und kurz mitdünsten. Restliche Butter unterrühren und Topf vom Herd nehmen. Garnelen fein hacken und unter die Sauce mischen. Mit Dill und Gewürzen abschmecken. Tortellini abgießen, abtropfen lassen und mit der Sauce servieren.

Gnocchi mit Ziegenkäsesauce

500 g Gnocchi, Salz
250 ml Sahne, 100 g Ziegenfrischkäse
100 g Mortadella
1 Bund gehackter Schnittlauch
2 El gehackte Walnüsse
weißer Pfeffer

Pro Portion ca. 625 kcal/2627 kJ
15 g E, 32 g F, 25 g KH

Die Gnocchi in Salzwasser bissfest garen. Inzwischen die Sahne in einem Topf aufkochen und leicht dicklich einkochen lassen. Den Ziegenkäse unter Rühren mit der Sahne mischen. Mortadella würfeln und zufügen. Schnittlauch und Nüsse unterheben und die Sauce mit Salz und Pfeffer abschmecken. Gnocchi abgießen, abtropfen lassen und mit der Sauce servieren.

Kürbissauce

6 El Olivenöl
3 fein gehackte Knoblauchzehen
1/8 l Weißwein
600 g gekochtes und püriertes Kürbisfleisch
je 1/2 Bund gehackte Petersilie und Basilikum
Salz, Pfeffer

Pro Portion ca. 229 kcal/960 kJ
2 g E, 18 g F, 9 g KH

Knoblauch im erhitzten Öl andünsten. Mit Wein ablöschen und aufkochen, Kürbispüree unterrühren und 5 Minuten köcheln. Kräuter dazugeben und mit Salz und Pfeffer abschmecken. Passt zu Fussili.

Safran-Lauch-Sauce

1 El Butter
100 g in Ringe geschnittener Lauch
100 ml Weißwein
100 ml Sahne
100 ml Gemüsebrühe
1 g Safran
4 El geriebener Käse
Salz
schwarzer Pfeffer

Pro Portion ca. 125 kcal/525 kJ
1 g E, 10 g F, 3 g KH

Lauchringe in der heißen Butter 3 Minuten schmoren. Wein zugießen und einkochen lassen. Sahne und Brühe hinzufügen und 5 Minuten köcheln. Safran und Käse unterheben und mit Salz und Pfeffer würzen. Passt zu Fussili.

Nuss-Sauce

150 g Ricotta
125 ml Olivenöl
200 g gemahlene Haselnüsse
2 El frisch gehackter Majoran
75 g geriebener Pecorino
Salz
schwarzer Pfeffer

Pro Portion ca. 685 kcal/2877 kJ
15 g E, 68 g F, 6 g KH

Ricotta in den Mixer geben und nach und nach mit Olivenöl cremig rühren. Nüsse, Majoran und Pecorino dazugeben und mit Salz und Pfeffer abschmecken. Passt zu Tagliatelle und Bandnudeln.

Rote-Bete-Sauce

60 g Butter
300 g pürierte Rote Bete
200 g Ricotta
100 ml Sahne
100 g geriebener Parmesan
Salz
schwarzer Pfeffer

Pro Portion ca. 408 kcal/1712 kJ
16 g E, 35 g F, 8 g KH

Butter in einem Topf schmelzen und Rote-Bete-Püree darin andünsten. Ricotta und Sahne unterrühren und aufkochen. Parmesan unter Rühren zufügen, Sauce mit Salz und Pfeffer abschmecken. Passt zu Ravioli und Tortellini.

Makkaroni mit Hackfleischsauce

500 g Makkaroni
Salz
100 g gewürfelter Räucherspeck
je 2 gehackte Zwiebeln und Knoblauchzehen
2 Bund klein geschnittenes Suppengemüse
4 El Olivenöl
400 g gemischtes Hackfleisch
1 Dose Tomatenstücke (450 g)
2 El Tomatenmark
100 ml Rotwein
2 Tl getrocknete italienische Kräuter
Pfeffer, Paprika

Pro Portion ca. 1043 kcal/4380 kJ
35 g E, 58 g F, 91 g KH

Die Makkaroni in Salzwasser bissfest garen. Inzwischen Speck auslassen und Zwiebeln, Knoblauch und Suppengemüse darin andünsten. Öl in einer zweiten Pfanne erhitzen und das Hackfleisch darin anbraten. Tomatenstücke, Tomatenmark und Wein zufügen. Speckmischung zugeben und Sauce mit Kräutern und Gewürzen kräftig abschmecken. 20 Minuten stark kochen, bis die Sauce eindickt. Makkaroni abgießen, abtropfen lassen und mit der Sauce servieren.

Farfalle mit Chilisauce

500 g Farfalle
Salz, 1 Chilischote, 4 El Olivenöl
1 gehackte Zwiebel, 1 gehackte Knoblauchzehe
500 g gewürfelte Fleischtomaten
125 ml Gemüsebrühe
1 Tl frisch gehackter Oregano
2 El gehackte Petersilie, Pfeffer
15 grüne Oliven

Pro Portion ca. 682 kcal/2864 kJ
23 g E, 25 g F, 92 g KH

Farfalle in Salzwasser garen. Chilischote waschen, putzen, entkernen und hacken. Zwiebeln und Knoblauch in Öl andünsten. Tomaten und Chili mitschmoren. Brühe angießen, 15 Minuten köcheln. Kräuter unterheben, mit Salz und Pfeffer abschmecken. Oliven in Scheiben schneiden und dazugeben. Farfalle abgießen und mit der Sauce anrichten.

Fettucini mit Champignonsauce

500 g Fettucini, Salz
2 El Olivenöl
1 fein gehackte Zwiebel
750 g grob gehackte Champignons
200 ml Sahne
2 El Sojasauce
schwarzer Pfeffer

Pro Portion ca. 677 kcal/2843 kJ
22 g E, 25 g F, 89 g KH

Fettucini in Salzwasser bissfest garen. Inzwischen das Öl erhitzen und die Zwiebel darin andünsten, Pilze zufügen und 5 Minuten mitschmoren. Sahne und Sojasauce einrühren und kurz köcheln. Sauce mit Salz und Pfeffer abschmecken. Fettucini abgießen, abtropfen lassen und mit der Sauce servieren.

Tagliatelle mit Spinat-Sahne-Sauce

500 g Tagliatelle
Salz
2 El Olivenöl
1 gehackte Zwiebel
1 zerdrückte Knoblauchzehe
500 g frischer geputzter Spinat
200 ml Sahne
50 g geriebener Parmesan
Pfeffer, Muskat

Pro Portion ca. 725 kcal/3045 kJ
23 g E, 29 g F, 90 g KH

Tagliatelle in Salzwasser bissfest garen. Inzwischen das Öl erhitzen und Zwiebel sowie Knoblauch andünsten. Spinat zugeben und zusammenfallen lassen. Sahne zugeben und etwas einkochen lassen. Käse unterheben. Würzen. Tagliatelle abgießen, abtropfen lassen und mit der Sauce servieren.

Muschelsauce

24 Venusmuscheln
125 ml Weißwein
4 El Olivenöl
1 fein gehackte Knoblauchzehe
1/4 Tl gehackte Chilischote
2 El gehackte Petersilie
Salz
weißer Pfeffer
3 El helle Grundsauce (von S. 9)

Pro Portion ca. 595 kcal/2499 kJ
67 g E, 17 g F, 37 g KH

Muscheln in Weißwein kochen. Muscheln herausheben, aus den Schalen lösen und hacken. Sud durchsieben. Knoblauch und Chili im erhitzten Öl andünsten. Muscheln, Sud, helle Grundsauce und Petersilie zugeben und erhitzen. Würzen. Passt zu Spaghetti und Buccatini.

Rotes Tomatenpesto

100 g getrocknete Tomaten
Salz
50 g Mandeln
60 g Pinienkerne
80 g geriebener Parmesan
1/2 Bund Petersilie
1 Bund Basilikum
Pfeffer
Zucker
1–2 El Aceto balsamico
400 g Spaghetti

Pro Portion ca. 605 kcal/2541 kJ
25 g E , 24 g F, 70 g KH

Die Tomaten in kochendem Salzwasser ca. 5 Minuten kochen. Herausnehmen, abtropfen lassen und 150 ml Kochwasser beiseite stellen.
Mandeln und Pinienkerne in einer Pfanne ohne Fett goldbraun rösten. Mit Tomaten und Parmesan im Mixer fein pürieren, das Wasser nach und nach dazugießen.
Die Petersilie und das Basilikum waschen, trocknen, fein hacken und unter das Pesto mischen. Mit Salz, Pfeffer, Zucker und Aceto balsamico abschmecken.
Die Spaghetti bissfest garen. Abgießen, mit kaltem Wasser abschrecken und gut abtropfen lassen. Die Nudeln mit dem Pesto mischen, anrichten und servieren.

Thunfischsauce

2 El Olivenöl
2 gehackte Knoblauchzehen
200 g gehäutete und gewürfelte Tomaten
150 g Muscheln (Dose)
325 g Thunfisch (Dose)
Salz, Pfeffer
2 El gehackte Petersilie

Pro Portion ca. 273 kcal/1145 kJ
22 g E, 19 g F, 4 g KH

Knoblauch im heißen Öl andünsten und Tomaten darin 5 Minuten schmoren. Muscheln, Thunfisch und etwas Muschelflüssigkeit zugeben, aufkochen. Würzen und Petersilie unterrühren. Passt zu Spaghetti, Makkaroni und Penne.

Lachs-Sahne-Sauce

3 El Olivenöl
2 gehackte Knoblauchzehen
60 g gewürfelte schwarze Oliven
100 g Lachswürfel
100 ml Sahne
300 g pürierte Tomaten
Salz, Pfeffer
1/2 Tl gehackter Oregano
1 Tl gehackter Dill

Pro Portion ca. 253 kcal/1061 kJ
6 g E, 24 g F, 4 g KH

Olivenöl erhitzen und Knoblauch andünsten. Oliven und Lachs zugeben und 3 Minuten mitdünsten. Die Sahne unterrühren und das Tomatenpüree dazugeben. Aufkochen lassen und abschmecken. Passt zu Fussili.

Miesmuschel-Tomaten-Sauce

3 El Olivenöl
1 gehackte Zwiebel
1 gehackte Knoblauchzehe
4 gehäutete und gewürfelte Fleischtomaten
500 g gekochte Miesmuscheln ohne Schale
Salz
schwarzer Pfeffer

Pro Portion ca. 435 kcal/1827 kJ
50 g E, 16 g F, 22 g KH

Olivenöl erhitzen und Zwiebel sowie Knoblauch darin andünsten. Tomatenwürfel zugeben, würzen und köcheln, bis die Sauce eindickt. Muschelfleisch unterheben und heiß werden lassen. Passt zu Spaghetti und Tagliatelle.

Spaghettini mit Tofusauce

500 g Spaghettini, Salz
300 g rote und grüne Paprikawürfel
100 g gewürfelte Zwiebel
3 El Sonnenblumenöl, 400 ml Gemüsebrühe
8 El Sojasauce, 250 g gewürfelter Tofu
2 El Olivenöl
1 Bund gehacktes Basilikum, Pfeffer
3 El Tomaten-Grundsauce (von S. 9)

Pro Portion ca. 713 kcal/2995 kJ
28 g E, 25 g F, 91 g KH

Spaghettini in Salzwasser garen. Paprika- und Zwiebelwürfel in Öl andünsten. Brühe und Sojasauce angießen und 20 Minuten köcheln. Tofu im Olivenöl braten. Basilikum unter die Sauce heben, mit Tomaten-Grundsauce andicken und würzen. Tofu unterheben. Spaghettini abgießen, abtropfen lassen und mit der Sauce servieren.

Tagliatelle mit Salbeisauce

500 g Tagliatelle
Salz
1 Hand voll Salbeiblätter
2 El Butter
1/4 l Gemüsebrühe
150 g Mascarpone
80 g frisch geriebener Parmesan

Pro Portion ca. 519 kcal/2178 kJ
18 g E, 39 g F, 8 g KH

Tagliatelle in Salzwasser bissfest garen. Inzwischen die Salbeiblätter waschen und fein hacken. Butter in einem Topf schmelzen, Salbei darin schmoren. Mit der Brühe ablöschen. Mascarpone und Parmesan unter Rühren zufügen. Tagliatelle abgießen, abtropfen lassen und mit der Sauce servieren.

Makkaroni mit Fisch und Minze

500 g Makkaroni
1 gehackte Knoblauchzehe, 3 El Olivenöl
2 gewürfelte Tomaten, 15 g gehackte Minze
1 El Rotweinessig
2 El Tomaten-Grundsauce (von S. 9)
Salz, Pfeffer
500 g gewürfeltes Fischfilet (z. B. Schwertfisch)
1 Tl abgeriebene Orangenschale

Pro Portion ca. 677 kcal/2843 kJ
41 g E, 17 g F, 87 g KH

Pasta garen. Knoblauch im Öl andünsten. Tomaten zugeben und 15 Minuten köcheln. Minze, Essig und Tomaten-Grundsauce hinzufügen, mit Salz und Pfeffer abschmecken. Fischwürfel unterheben und 5 Minuten in der Sauce dünsten. Mit Orangenschale aromatisieren. Pasta abgießen, abtropfen lassen und mit der Sauce servieren.

Bandnudeln mit Zucchini-Salbei-Sauce

500 g Bandnudeln, Salz

6 El Olivenöl, 2 gehackte Knoblauchzehen

500 g halbierte und in Scheiben geschnittene Zucchini

6 in Streifen geschnittene Salbeiblätter

50 ml Gemüsebrühe

100 ml helle Grundsauce (von S. 9)

8 El trockener Weißwein

2 El eingelegter grüner Pfeffer

Pro Portion ca. 652 kcal/2738 kJ
18 g E, 23 g F, 91 g KH

Bandnudeln in Salzwasser bissfest garen. Inzwischen das Olivenöl erhitzen und den Knoblauch darin glasig schmoren. Zucchini und Salbei zugeben und kurz mitschmoren. Brühe, Grundsauce und Wein angießen und etwas einkochen lassen. Pfefferkörner unterheben und mit Salz abschmecken. Bandnudeln abgießen, abtropfen lassen und mit der Sauce servieren.

Karottencreme

2 El Öl

4 gehackte Frühlingszwiebeln

500 g gewürfelte Möhren

200 ml Gemüsebrühe

60 g Crème fraîche

1 Prise Cayennepfeffer

Salz

Pro Portion ca. 144 kcal/606 kJ
2 g E, 12 g F, 7 g KH

Öl erhitzen und Zwiebeln darin andünsten. Möhren zugeben und kurz schmoren. Mit Brühe aufgießen und weich kochen. Möhren pürieren, Crème fraîche unterrühren und mit Salz und Cayennepfeffer abschmecken. Passt zu Spaghettini und gebackenen Nudelnestern.

Rosinen-Öl-Sauce

125 ml Olivenöl
4 in Scheiben geschnittene Knoblauchzehen
50 g gehackte Pinienkerne
50 g gewaschene Rosinen
3 El gehackte Petersilie

Pro Portion ca. 388 kcal/1628 kJ
4 g E, 38 g F, 10 g KH

Den Knoblauch im heißen Öl glasig schmoren, Pinienkerne zufügen und mitbraten, Rosinen und Petersilie unterheben. Passt zu Spaghetti und Makkaroni.

Orangen-Meerrettich-Sauce

Saft von 1 Orange
300 g saure Sahne
5 El Öl
8 El Tomatenmark
4 El Weinbrand
2 Tl frisch geriebener Meerrettich
Salz, Pfeffer
Cayennepfeffer

Pro Portion ca. 255 kcal/1071 kJ
3 g E, 23 g F, 7 g KH

Orangensaft, saure Sahne, Öl, Tomatenmark, Weinbrand und Meerrettich gut verrühren. Mit den Gewürzen pikant abschmecken. Passt zu überbackenen und gebratenen Nudeln.

Meeresfrüchtesauce

4 El Olivenöl
250 g aufgetaute TK-Meeresfrüchte
1 gewürfelte Zwiebel
2 gehackte Knoblauchzehen
1/2 Bund gehackter Estragon
200 ml Weißwein
400 ml Hummerfond
1/4 Tl abgeriebene Limettenschale
2 El Sahne
2 El braune Grundsauce (von S. 9)
Salz, Pfeffer

Pro Portion ca. 247 kcal/1037 kJ, 8 g E, 19 g F, 5 g KH

Öl erhitzen und Meeresfrüchte, Zwiebel und Knoblauch darin 3 Minuten schmoren. Estragon unterheben und mit Wein und Hummerfond aufgießen. Etwas einkochen lassen. Limettenschale und Sahne unterrühren und mit brauner Grundsauce andicken. Würzen. Passt zu Muschelnudeln und schwarzen Bandnudeln.

Schwarze Nudeln mit Sardellensauce

500 g schwarze Nudeln, Salz
50 g Sardellenfilets in Öl
1 zerdrückte Knoblauchzehe
abgeriebene Schale von 1 unbehandelten Zitrone
100 g Butter, schwarzer Pfeffer
Worcestersauce, 4 El frisch gehackter Dill

Pro Portion ca. 481 kcal/2018 kJ 10 g E, 38 g F, 9 g KH

Die Nudeln in Salzwasser bissfest garen. Inzwischen die Sardellen mit Öl, Knoblauch und Zitronenschale pürieren. Butter zerlassen und langsam unterrühren. Nach Geschmack mit Pfeffer, Worcestersauce und Dill würzen. Nudeln abgießen, abtropfen lassen und mit der Sauce servieren.

Rigatoni mit Lebersauce

500 g Rigatoni, Salz
50 g Butter, 2 gehackte Zwiebeln
300 g Rinderleber
2 El Mehl
1 Lorbeerblatt, 1 Salbeiblatt
125 ml Rotwein
1 El frisch gehackter Thymian, Pfeffer

Pro Portion ca. 682 kcal/2864 kJ
23 g E, 22 g F, 89 g KH

Rigatoni in Salzwasser bissfest garen. Inzwischen die Butter in einer Pfanne erhitzen und Zwiebeln darin andünsten. Leber waschen, trocknen und würfeln. Mit Mehl bestäuben und mit Lorbeer und Salbei zu den Zwiebeln geben. Unter Rühren gut anbraten, Rotwein angießen und alles etwa 4 Minuten köcheln. Lorbeer und Salbei entfernen, Thymian einrühren. Die Sauce mit Salz und Pfeffer abschmecken. Rigatoni abgießen, abtropfen lassen und mit der Sauce servieren.

Paprikasauce

2 El Olivenöl
1 gehackte Zwiebel
je 1 rote und grüne fein geschnittene Paprikaschote
4 Eier
Salz
weißer Pfeffer
1 Prise Cayennepfeffer

Pro Portion ca. 169 kcal/709 kJ
9 g E, 13 g F, 4 g KH

Olivenöl erhitzen und Zwiebeln und Paprika 5 Minuten darin schmoren. Eier mit den Gewürzen verquirlen. Paprikamischung und Eier vermischen und über die heißen Nudeln geben. Passt zu Farfalle.

Sagnanelli mit Käse-Sahne-Sauce

500 g Sagnanelli, Salz
1 Eigelb
100 ml Schlagsahne
1/2 l helle Grundsauce (s. Seite 9)
je 75 g geriebener Parmesan und Gruyère
1 El Zitronensaft
Pfeffer, Muskat

Pro Portion ca. 783 kcal/3288 kJ
19 g E, 29 g F, 99 g KH

Sagnanelli in Salzwasser bissfest garen. Inzwischen das Eigelb mit der Sahne verrühren und unter die helle Sauce rühren. Erhitzen, aber nicht kochen. Durch ein Sieb passieren, Käse einrühren und schmelzen lassen. Mit Gewürzen abschmecken. Nudeln abgießen, abtropfen lassen und mit der Sauce verrühren.

Thymian-Sahne-Sauce

2 El Butter
1 gehackte Zwiebel
1 gehackte Knoblauchzehe
1/2 El Mehl
125 ml Weißwein
125 ml Milch
250 g Schlagsahne
1/2 Bund gehackter Thymian
Salz, weißer Pfeffer, 1 Prise Cayennepfeffer
1 Tl Zitronensaft

Pro Portion ca. 275 kcal/1155 kJ
3 g E, 24 g F, 7 g KH

Butter schmelzen und Zwiebel sowie Knoblauch andünsten. Mehl zugeben, anschwitzen und mit Wein ablöschen. Milch und Sahne zugeben. 10 Minuten köcheln. Thymian unterheben. Würzen und mit Zitrone abschmecken. Passt zu Ravioli.

Gorgonzolasauce

250 ml Sahne
125 ml Gemüsebrühe
125 g Gorgonzola
1/4 Tl schwarzer Pfeffer
1 El Cognac

Pro Portion ca. 303 kcal/1270 kJ
8 g E, 29 g F, 3 g KH

Sahne und Brühe in einem Topf aufkochen und um ein Drittel reduzieren. Gorgonzola zugeben und unter Rühren schmelzen. Mit Pfeffer und Cognac abschmecken. Passt zu Tortellini, Gnocchi und Spaghetti.

Ricottasauce

1 El Olivenöl
1 fein gehackte Knoblauchzehe
2 gehackte Frühlingszwiebeln
8 grüne gehackte Oliven
250 g Ricotta
150 g Frischkäse
2 El frisch gehackter Kerbel
Salz
schwarzer Pfeffer
Muskat

Pro Portion ca. 318 kcal/1334 kJ
12 g E, 28 g F, 5 g KH

Öl erhitzen und Knoblauch darin 5 Minuten schmoren. Abkühlen lassen und mit den anderen Zutaten vermischen. Passt zu Nudelsalaten.

Tomatensugo

800 g reife Tomaten
2 Stangensellerie mit Grün, 1 Schalotte
20 große Basilikumblätter
2 mit Salz zerdrückte Knoblauchzehen
1 Bund gehackte frische Petersilie
1 El gehacktes frisches Oregano
5 El Olivenöl, schwarzer Pfeffer

Pro Portion ca. 190 kcal/798 kJ
3 g E, 16 g F, 9 g KH

Die Tomaten waschen, häuten, Stielansätze und Kerne entfernen und das Fruchtfleisch fein würfeln. Den Sellerie putzen, waschen und harte Außenfasern entfernen. Das Grün hacken. Die Schalotte schälen und fein hacken. Basilikum waschen, abtropfen lassen und hacken. Alle Zutaten in einer Schüssel mischen und mit Salz und Pfeffer abschmecken. Bis zum Servieren kühl stellen. Passt zu allen Nudelsorten.

Spinatsauce

900 g Spinat
2 Tl Salz
3 El Olivenol
3 Knoblauchzehen
60 g Sardellenfilets in Öl
1/2 Tl getrocknete Chiliflocken

Pro Portion ca. 142 kcal/600 kJ
8 g E, 10 g F, 3 g KH

Den Spinat putzen, waschen und in kochendem Salzwasser etwa 2 Minuten blanchieren. Abgießen und abtropfen lassen. Öl in einem großen Topf erhitzen. Knoblauch schälen und zerdrücken und im Öl andünsten. Sardellenfilets und Chili zufügen und unter Rühren mitdünsten. Spinat zugeben und unterrühren. Passt zu Linguine und Tagliatelle.

Olivensauce

3 El Olivenöl
150 g gewürfelte Zwiebeln
1 zerdrückte Knoblauchzehe
2 Möhren
50 g Sellerie
1 kleine Stange Lauch
85 g schwarze Oliven
1 große Dose Tomaten (850 g)
Salz, Pfeffer, Cayennepfeffer
Paprikapulver

Pro Portion ca. 216 kcal/906 kJ
4 g E, 18 g F, 10 g KH

Zwiebel und Knoblauch im Olivenöl andünsten. Gewürfeltes Gemüse 5 Minuten mitschmoren. Tomaten klein schneiden und mit dem Saft zufügen. Sauce sämig einkochen lassen und würzen. Oliven würfeln und unterheben. Passt zu Spaghetti, Tagliatelle.

Lauch-Speck-Sauce

2 El Butter
100 g in Ringe geschnittener Lauch
50 g gewürfelter Schinkenspeck
350 ml Gemüsebrühe
1/2 Bund gehackte gemischte Kräuter
4 El Weinessig
Salz
Pfeffer
3 El braune Grundsauce (von S. 9)

Pro Portion ca. 98 kcal/412 kJ
4 g E, 8 g F, 3 g KH

Butter erhitzen und Speck darin auslassen. Lauch zugeben, 5 Minuten mitschmoren. Brühe angießen, aufkochen und andicken lassen. Wein und Kräuter unterrühren. Mit Grundsauce andicken und würzen. Passt zu Penne und Rigatoni.

Erdnuss-Sauce

100 g Erdnussbutter
4 El Sojasauce
2 El süße Sojasauce
1 El Obstessig
einige Spritzer Tabasco
300 g gekochter Brokkoli
250 g gestiftelte gekochte Möhren

Pro Portion ca. 178 kcal/748 kJ
10 g E, 13 g F, 6 g KH

Erdnussbutter mit 125 ml heißem Wasser verrühren, mit Sojasaucen, Essig und Tabasco abschmecken. Das gekochte Gemüse unterrühren. Passt zu Spaghetti und gebratenen Nudeln.

Hähnchenbrustsauce

1 zerdrückte Knoblauchzehe, 2 El Olivenöl
1 grüne gewürfelte Paprikaschote
500 g gewürfelte Hähnchenbrust
250 g kleine Champignons
100 ml Weißwein, 250 ml Sahne
100 g geriebener Pecorino
Salz, Pfeffer

Pro Portion ca. 460 kcal/1932 kJ
40 g E, 30 g F, 5 g KH

Knoblauch in Öl andünsten. Paprika und Hähnchenwürfel zugeben und alles etwa 15 Minuten unter Rühren schmoren. Champignons putzen, feucht abreiben und hinzufügen, Wein einrühren, aufkochen und alles 3 Minuten köcheln, dann Sahne und Käse unterheben. Nicht mehr köcheln. Sauce würzen. Passt zu Penne, Rigatoni, Fussili und Makkaroni.

Petersiliensauce

1 große Knoblauchzehe
2 El frisch gehackte Petersilie
5 El Olivenöl
1/4 Tl Salz
1/4 Tl Pfeffer

Pro Portion ca. 136 kcal/572 kJ
22 g E, 15 g F, 1 g KH

Die Knoblauchzehe schälen und fein hacken. Das Öl in einem Topf erhitzen und den Knoblauch darin goldgelb anschmoren. Topf vom Herd nehmen und die Petersilie einrühren. Mit Salz und Pfeffer würzen. Passt zu Spaghetti, Tagliatelle und Spaghettini.

Schinkensauce

60 g Butter
120 g gewürfelter Parmaschinken
80 g gewürfelter gekochter Schinken
250 ml Sahne
Salz
Pfeffer
Muskat
80 g geriebener Parmesan
2 El helle Grundsauce (von S. 8)

Pro Portion ca. 540 kcal/2268 kJ
20 g E, 51 g F, 3 g KH

Butter erhitzen und Schinken darin kurz anschmoren. Mit der Sahne ablöschen, Grundsauce unterrühren und sämig einkochen lassen. Mit Salz, Pfeffer und Muskat würzen und den Käse unterheben. Weitere 5 Minuten köcheln lassen. Passt zu breiten Nudeln, Makkaroni und Penne.

Zucchinisauce

500 g Zucchini
200 g Frischkäse
125 ml Milch
100 ml trockener Weißwein
1 gewürfelte Zwiebel
1 gehackte Knoblauchzehe
1 Bund Basilikum
Salz
Pfeffer

Pro Portion ca. 338 kcal/1001 kJ
9 g E, 17 g F , 7 g KH

Die Zucchini putzen, waschen und fein reiben. Frischkäse, Milch, Wein, Zwiebel, Knoblauch und Zucchini in einem Topf aufkochen und 5 Minuten köcheln. Basilikum waschen, trockenschütteln und hacken. Unter die Sauce heben und mit Salz und Pfeffer abschmecken. Passt zu Penne, Fussili und Farfalle.

Wurstsauce

3 El Sonnenblumenöl
3 El Butter
1 gehackte Zwiebel
1 gewürfelte Möhre
100 g gewürfelter Sellerie
1 rote Paprikaschote
150 g italien. Würstchen (Salsicce)
50 ml Fleischbrühe, 2 El Tomatenmark
1/2 Bund gehacktes Basilikum, Salz, Pfeffer

Pro Portion ca. 217 kcal/911 kJ
8 g E, 19 g F, 4 g KH

Öl und Butter erhitzen und die Zwiebel darin 4 Minuten schmoren. Paprika waschen, putzen und streifig schneiden. Würstchen in Scheiben schneiden. Paprika, Würstchen, Brühe und Tomatenmark zum Gemüse geben, aufkochen und 5 Minuten schmoren. Basilikum unterheben und mit Salz und Pfeffer abschmecken. Passt zu Penne, Rigatoni.

Auberginensauce mit Honig

40 g Butter
1 Aubergine
2 El flüssiger Honig
1 Dose Tomatenstücke (450 g)
Salz
schwarzer Pfeffer
je 1/2 Bund gehackte Petersilie und Basilikum

Pro Portion ca. 117 kcal/493 kJ
2 g E, 9 g F, 8 g KH

Aubergine putzen, waschen und in kleine Würfel schneiden. Butter in einem Topf schmelzen, Honig einrühren und Auberginenwürfel darin andünsten. Tomatenwürfel zugeben und erhitzen. Sauce mit Salz und Pfeffer abschmecken, dann die Kräuter unterheben. Passt zu Penne, Makkaroni, Fussili und Pappardelle.

Trüffelsauce

3 gehackte Knoblauchzehen
3 frische Sardellenfilets
6 El Olivenöl
120 g schwarze Trüffel
150 ml Sahne
Salz
Pfeffer

Pro Portion ca. 363 kcal/1523 kJ
18 g E, 31 g F, 4 g KH

Knoblauchzehen und Sardellenfilets pürieren. Das Öl erhitzen und die Masse darin anschmoren. Die Trüffel zerstoßen und unter Rühren mit der Sahne zu einer cremigen Sauce rühren. Mit Salz und Pfeffer abschmecken. Passt zu allen Nudelsorten.

Auberginensauce mit Grappa

3 El Butter

100 g gewürfelte Aubergine (mit Zitronensaft beträufelt)

100 g gewürfelte grüne und rote Paprikaschote

2 in Ringe geschnittene Frühlingszwiebeln

1/2 Bund gehackte Petersilie

400 ml Rinderbrühe

4 El Grappa

2 El Crème fraîche

3 El helle Grundsauce (von S. 8)

Salz, Pfeffer

Pro Portion ca. 140 kcal/590 kJ
4 g E, 11 g F , 6 g KH

Butter in einem Topf erhitzen und das Gemüse und die Petersilie darin andünsten. Mit Rinderbrühe auffüllen und einige Minuten köcheln lassen. Grappa und Crème fraîche einrühren und mit der hellen Grundsauce andicken. Würzen. Passt zu allen Nudelsorten.

Makrelensauce

2 El Butter

100 g gewürfeltes geräuchertes Makrelenfilet

100 g gekochte Krabben, abgetropft

2 El Zitronensaft

400 ml Fischfond

3 El helle Grundsauce (von S. 8)

Salz, Pfeffer

Currypulver

Muskatnuss

Pro Portion ca. 144 kcal/604 kJ
12 g E, 10 g F, 3 g KH

Butter in einem Topf erhitzen und Makrelenfilet und Krabben darin kurz erhitzen. Mit Zitronensaft und Fischfond aufgießen und Sauce etwas einkochen lassen. Mit der hellen Grundsauce andicken und mit den Gewürzen abschmecken. Passt zu Rigatoni, Buccatini, Makkaroni.

Krabbensauce

2 gewürfelte Schalotten
1 gehackte Knoblauchzehe
75 g Nordseekrabben
2 El Kräuterbutter
200 ml trockener Weißwein
200 ml Gemüsebrühe
1/4 Bund Dill
1/4 Bund Koriander
1/4 Bund Petersilie
2 El Limettensaft
2 El Sherry
3 El helle Grundsauce (von S. 8)
Salz
Pfeffer
Paprikapulver

Pro Portion ca. 144 kcal/604 kJ
5 g E, 7 g F, 5 g KH

Schalotten und Knoblauch in der erhitzten Kräuterbutter andünsten. Die Krabben dazugeben. Alles mit Weißwein und Gemüsebrühe angießen. Etwas einkochen lassen. Dill, Koriander und Petersilie waschen, trocknen, fein hacken und unter die Sauce rühren. Die Sauce mit Limettensaft und Sherry aromatisieren. Mit der Grundsauce andicken. Würzen und zu Penne-Nudeln servieren.

Portulaksauce

2 mittelgroße Rote Bete
1 gewürfelte Zwiebel
2 El Butter
1 Tl Senf
400 ml Gemüsebrühe
50 g Portulak
2 El saure Sahne
2 El Honig
50 g Maiskörner (Dose)
Tomaten-Grundsauce (von S. 8)
Salz
Pfeffer
Paprikapulver

Pro Portion ca. 144 kcal/603 kJ
3 g E, 7 g F, 17 g KH

Rote Bete schälen und würfeln. Rote Bete und die Zwiebeln in der erhitzten Butter andünsten. Senf unterrühren. Mit Gemüsebrühe angießen und etwas einkochen lassen. Portulak waschen, trocknen und fein hacken. Mit saurer Sahne und Honig unter die Sauce heben. Maiskörner abtropfen lassen, in die Sauce geben und darin erwärmen. Anschließend alles mit der Tomaten-Grundsauce andicken und mit Salz, Pfeffer und Paprikapulver abschmecken. Passt zu Glasnudeln.

Ingwersauce

2 Bund gehackter Koriander
1 El frisch gehackter Ingwer
1 fein gehackte milde Chilischote
100 ml Kokosmilch
1 El Zitronensaft, 1 Tl Zucker
50 ml Distelöl
2 geschälte Knoblauchzehen
2 El Limettensaft
Salz

Pro Portion ca. 140 kcal/588 kJ
1 g E, 14 g F, 4 g KH

Alle Zutaten außer Knoblauch und Limettensaft im Mixer fein pürieren. Die Knoblauchzehen dazudrücken und verrühren. Mit Limettensaft und Salz würzen. Passt zu Penne und Ravioli.

Kalte Gemüsesauce

1 gelbe Paprikaschote
1/2 rote Chilischote
1/2 entkernte Schlangengurke
400 g gehäutete und entkernte Tomaten
1 gehackte Zwiebel
2 Knoblauchzehen
4 El Paniermehl
4 El Olivenöl
1/2 Bund Basilikum
Salz
schwarzer Pfeffer
2 El Rotweinessig

Pro Portion ca. 162 kcal/680 kJ
3 g E, 13 g F, 9 g KH

Alle Zutaten außer Gewürzen und Essig im Mixer fein pürieren. Sauce mit Salz, Pfeffer und Essig abschmecken. Passt zu allen Nudelsorten.

Wein-Kräuter-Sauce

6 El Olivenöl
1 gehackte Zwiebel
2 gehackte Knoblauchzehen
1 Bund gehackte gemischte Kräuter
2 kleine gehackte Salbeiblätter
1/2 Tl gehackter Rosmarin
1 zerriebenes Lorbeerblatt
125 ml trockener Weißwein
1 Becher Crème fraîche
Salz

Pro Portion ca. 209 kcal/878 kJ
1 g E, 20 g F, 2 g KH

Zwiebel und Knoblauch im erhitzten Öl andünsten. Die gesamten Kräuter zufügen und den Wein angießen. 15 Minuten köcheln, dann Crème fraîche unterrühren und mit Salz abschmecken. Passt zu allen Nudelsorten.

Speck-Sahne-Sauce

1 El Olivenöl
250 g Schinkenspeckstreifen
4 hart gekochte Eier
50 ml Sahne
100 g geriebener Parmesan
Salz
weißer Pfeffer

Pro Portion ca. 363 kcal/1523 kJ
29 g E, 27 g F, 1 g KH

Öl erhitzen und den Speck darin ausbraten. Eier hacken und mit Sahne und Käse verrühren. Mit Salz und Pfeffer würzen. Mit dem Speck mischen. Passt zu Spaghetti.

Mais-Sahne-Sauce

1 gehackte Zwiebel
1 gehackte Knoblauchzehe
50 g Butter
1/2 Bund gehackte glatte Petersilie
200 ml Sahne
1 Dose abgetropfter Zuckermais (280 g)
Salz
weißer Pfeffer
Muskat

Pro Portion ca. 478 kcal/2006 kJ
8 g E, 28 g F, 49 g KH

Zwiebel und Knoblauch pürieren, dann in der erhitzten Butter andünsten. Petersilie und Sahne zufügen und aufkochen lassen. Mais unterheben und in der Sauce erhitzen. Mit den Gewürzen abschmecken. Passt zu Farfalle.

Appenzellersauce

2 gewürfelte Zwiebeln
1 rote gehackte Chilischote
3 El Butter, 2 El Kirschwasser
1/2 Bund Schnittlauch
400 ml Gemüsebrühe
80 g Appenzeller
3 El helle Grundsauce (von S. 8)
Salz, bunter Pfeffer

Pro Portion ca. 186 kcal/783 kJ
6 g E, 15 g F, 3 g KH

Zwiebeln und Chilischote in der erhitzten Butter andünsten. Kirschwasser dazugeben. Schnittlauch waschen, trocknen, in Röllchen schneiden und dazugeben. Mit Gemüsebrühe angießen und etwas einkochen lassen. Appenzeller hobeln und unter die Sauce rühren. Das Ganze mit der Grundsauce andicken und mit Salz und buntem Pfeffer abschmecken. Die Sauce zu Spätzle servieren.

Calamarissauce

100 g Calamaris
Zitronensaft
1 gewürfelte Zwiebel
2 gehackte Knoblauchzehen
2 El Olivenöl
1 El Kapern
1/2 Bund Estragon
200 ml Weißwein
400 ml Gemüsebrühe
1/4 Limette
2 El Sahne
3 El braune Grundsauce (von S. 9)
Salz
bunter Pfeffer

Pro Portion ca. 170 kcal/713 kJ
5 g E, 11 g F, 5 g KH

Calamaris mit Zitronensaft beträufeln. Zwiebel und Knoblauch im erhitzten Öl andünsten. Kapern unterrühren. Estragonblättchen zu den Calamaris geben. Alles mit Weißwein und Gemüsebrühe angießen. Etwas einkochen lassen. Die abgeriebene Schale der Limette und Sahne unterrühren. Die Sauce mit der Grundsauce andicken und mit Salz und buntem Pfeffer abschmecken. Passt zu großen Muschelnudeln.

Dessert-saucen

Vanillecreme mit Apfelstrudel

1 Tk-Apfelstrudel
7 Eigelb
500 ml Milch
1 aufgeschnittene Vanilleschote
4 El Zucker

Pro Portion ca. 412 kcal/1730 kJ
16 g E, 19 g F, 21 g KH

Apfelstrudel mit 1 verquirlten Eigelb bestreichen und nach Packungsanweisung im Backofen backen. Die Milch mit dem ausgekratzten Vanillemark und der Schote aufkochen.
Restliche Eigelbe und Zucker in einer Schüssel schaumig rühren und zur heißen Milch geben. Das Ganze im heißen Wasserbad 10 Minuten schaumig schlagen. Wenn die Sauce andickt, Vanilleschote entfernen.

Kaffeelikörsauce mit Soufflée

4 Eigelb
100 g Zucker
4 Eischnee
20 g Speisestärke
20 g Puderzucker
2 El Butter
2 El Zucker
200 g Sahne
4 El Kaffeelikör
2 El Mandelblättchen

Pro Portion ca. 446 kcal/1872 kJ
6 g E, 28 g F, 41 g KH

Eigelbe und Zucker cremig schlagen. Eischnee und Speisestärke vorsichtig darunter ziehen.
Masse in 4 gefettete Formen geben. Im vorgeheizten Backofen bei 180 °C etwa 25 Minuten backen. Butter und Zucker karamellisieren. Sahne einrühren und 2 Minuten köcheln. Kaffeelikör gut darunter rühren. Die Mandelblättchen goldgelb rösten und unter die Sauce heben. Soufflée mit Puderzucker bestäuben und mit der Sauce anrichten.

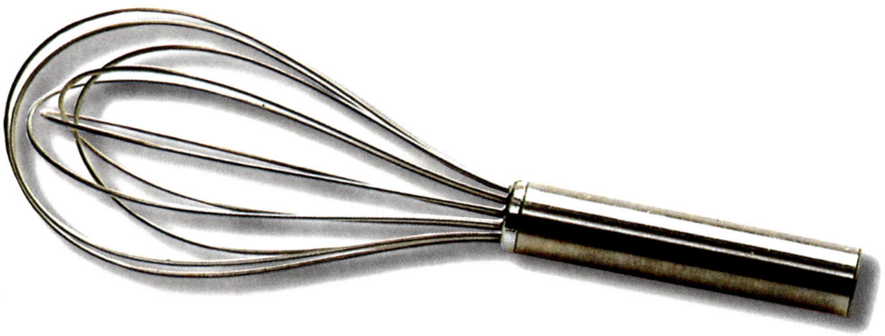

Cognacsauce mit Apfelkuchen

Hefeteig von 400 g Mehl
1 kg gewürfelte Äpfel
200 g Zuckerguss
400 ml Kaffeesahne
100 g brauner Zucker
Mark von 1 Vanilleschote
150 g Zartbitterschokolade
30 g Butter
1 Prise Salz
2 El Cognac

Pro Portion ca. 1260 kcal/5292 kJ
14 g E, 51 g F, 159 g KH

Aus Hefeteig und Äpfeln einen gedeckten Apfelkuchen zubereiten, im Backofen bei 200 °C etwa 20 Minuten backen. Etwas abgekühlt mit dem Zuckerguss bestreichen.
Kaffeesahne, Zucker und Vanillemark etwa 1 Minute köcheln lassen, der Zucker soll sich auflösen. Zerkleinerte Schokolade einrühren und schmelzen. Anschließend Butter, Salz und Cognac unterheben. Apfelkuchen in Stücke schneiden und mit der Sauce anrichten.

Apfelsinensauce mit Vanilleeis

4 unbehandelte Apfelsinen
3 El Weißwein
2 El Zucker
30 g kalte Butter
4 Tropfen Bittermandelöl
400 g Vanilleeis
Orangenfilets nach Belieben

Pro Portion ca. 332 kcal/1394 kJ
6 g E, 16 g F, 39 g KH

Schale von 1 Apfelsine abschälen und in Streifen schneiden, alle Apfelsinen auspressen.
Saft mit Wein, Apfelsinenschale und Zucker etwas einkochen lassen. Butter in Flöckchen und Bittermandelöl unter die Sauce rühren.
Das Vanilleeis portionieren und mit der Apfelsinensauce und nach Belieben mit Orangenfilets servieren.

Weincreme mit bunten Beeren

300 g Tk-Beeren
4 Eigelb
150 g Zucker
Mark von 1/2 Vanilleschote
200 ml trockener Weißwein
1 Tl abgeriebene Zitronenschale

Pro Portion ca. 141 kcal/593 kJ
5 g E, 8 g F, 6 g KH

Beeren auftauen lassen. Eigelbe mit Zucker und Vanillemark schaumig schlagen.
Im Wasserbad weiter schlagen und den Wein nach und nach zugießen. Zitronenschale unterheben. Schüssel mit der Creme in Eiswasser stellen und Sauce kalt rühren.
Wenn die Sauce erkaltet ist, die Beeren auf Tellern verteilen und die Sauce darüberträufeln.

Aprikosensauce mit Grießpudding

1/2 l Milch
80 g Grieß
50 g Zucker
1 Ei
350 g gewürfelte Aprikosen
Saft von 1 Zitrone
3/8 l trockener Sekt
2 El Akazienhonig

Pro Portion ca. 350 kcal/1471 kJ
9 g E, 17 g F, 48 g KH

Aus Milch, Grieß, Zucker und Ei einen Pudding kochen, in Förmchen kalt stellen und später stürzen.
Aprikosen mit Zitronensaft, Sekt und Honig etwa 20 Minuten köcheln, pürieren und kühlen.

Schokoladensauce mit Grießpudding

1/2 l Milch
80 g Grieß
50 g Zucker
1 Ei
200 g gehackte Edelbitterschokolade
150 ml Sahne
3 El Zucker
1 El Rum

Pro Portion ca. 584 kcal/2453 kJ
13 g E, 34 g F, 56 g KH

Aus Milch, Grieß, Zucker und Ei einen Pudding kochen, in Förmchen kalt stellen und später stürzen.
Schokolade im Wasserbad unter ständigem Rühren schmelzen. Sahne und Zucker aufkochen und dazufügen. Sauce glatt rühren und mit Rum aromatisieren.
Sauce erkalten lassen und mit dem Griesspudding servieren.

Weisse Schokosauce mit Crêpes

2 Eier
1/8 l Milch
100 g Mehl
1 Prise Salz
40 g Butter
200 g weiße Schokolade
100 ml Milch
200 ml Sahne
1 cl Orangenlikör

Pro Portion ca. 655 kcal/2749 kJ
14 g E, 45 g F, 69 g KH

Die Eier mit Milch, Mehl und 1 Prise Salz verquirlen. Aus der Masse in der heißen Butter in einer kleinen Pfanne kleine Pfannkuchen backen, warm halten.
Die Schokolade in einer Schüssel zerkleinern und im Wasserbad schmelzen. Milch und Sahne aufkochen, 2 Minuten köcheln, anschließend mit der Schokolade verrühren. Likör hinzugeben und alles glatt rühren.

Mangocreme mit Obstsalat

1 Mango

1 El Honig

1 El Limettensaft

4 cl Aprikosenlikör

500 g gemischte Früchte,
z. B. Kiwi

Pro Portion ca. 95 kcal/399 kJ
21 g E, 17 g F, 17 g KH

Die Mango schälen, den Kern entfernen und das Fruchtfleisch fein würfeln. Mit 100 ml Wasser aufkochen. Honig und Limettensaft zugeben und 5 Minuten köcheln. Anschließend pürieren und den Likör unterrühren. Abkühlen lassen.

Obst putzen, waschen und abtropfen lassen. Kiwi schälen und in Scheiben schneiden. Erdbeeren je nach Größe zerkleinern. Obst miteinander vermischen und mit der Sauce anrichten.

Erdbeersauce mit Joghurtcreme

4 Blatt weiße Gelatine
500 g Joghurt
100 g Puderzucker
Saft und Schale von 1 unbehandelten Zitrone
250 ml süße Sahne
300 g geputzte Erdbeeren
3 El Zucker
2 El Orangensaft
1/2 Tl zerstoßene Korianderkörner
2 cl Orangenlikör

Pro Portion ca. 423 kcal/1777 kJ
7 g E, 25 g F, 42 g KH

Gelatine in Wasser auflösen. Joghurt mit Puderzucker, Saft und -schale von 1/2 Zitrone verrühren.
Gelatine darunter rühren, kalt stellen. Sahne steif schlagen und unter die Creme ziehen.
Erdbeeren mit Zucker, Orangensaft, restlichem Zitronensaft und Koriander aufkochen. Masse pürieren und erneut aufkochen. Likör unterrühren und etwas abkühlen lassen.

Honigsauce mit Pfannkuchen

250 ml kalter Sahnejoghurt
2 El frisch gehackte Minze
3 El Sonnenblumenhonig
1/4 l Milch
4 Eier
Salz
100 g Mehl
50 g Butter

Pro Portion ca. 432 kcal/1814 kJ
14 g E, 32 g F, 24 g KH

Joghurt mit gehackter Minze in einer Schüssel mischen und gut verrühren. Honig in dünnem Strahl (eventuell vorher leicht erwärmen, damit er flüssig wird) dazugeben und vorsichtig unterheben.
Sauce kalt stellen. Inzwischen aus Milch, Eiern, Salz und Mehl einen Pfannkuchenteig zubereiten. Aus dem Teig in der heißen Butter 4 goldgelbe Pfannkuchen backen. Pfannkuchen mit der sehr kalten Sauce servieren.

Papaya-Ingwersauce mit Crêpes

60 g gehackter, kandierter Ingwer

2 El Rum

2 Eier

1/8 l Milch

100 g Mehl

1 Prise Salz

40 g Butter

2 geschälte Papayas ohne Kern

150 g Zucker

4 El Weißwein

Mark von 1 Vanilleschote

Pro Portion ca. 434 kcal/1821 kJ
8 g E, 25 g F, 68 g KH

Ingwer 30 Minuten im Rum einlegen. Die Eier mit Milch, Mehl und 1 Prise Salz verquirlen. Aus der Masse in der Butter in einer kleinen Pfanne kleine Pfannkuchen backen, warm halten.
Die Papayas würfeln, bis auf 50 g mit Zucker, Wein und dem Vanillemark zum Kochen bringen und etwa 20 Minuten köcheln. Anschließend die Masse pürieren und erneut aufkochen. Etwas einkochen und mit restlicher Papaya und Ingwer mit Rum vermischen.

Fruchtsauce mit Mandelbienenstich

400 g gemischte Beeren (Erdbeeren, Brombeeren, Himbeeren)

150 g Zucker

Saft von 1 Zitrone

8 El Kirschlikör

4 Stückchen Mandelbienenstich

Pro Portion ca. 389 kcal/1637 kJ
4 g E, 12 g F, 63 g KH

Früchte putzen und waschen. Mit Zucker und Zitronensaft in 500 ml Wasser zum Kochen bringen und 20 Minuten köcheln. Masse pürieren, durch ein Sieb streichen und mit Likör verrühren. Heiß oder kalt zu Mandelbienenstich reichen.

Süße Buttersauce mit Pfannkuchen

1/4 l Milch
4 Eier
Salz
100 g Mehl
185 g weiche Butter
100 g Zucker
Saft und abgeriebene Schale von 1 unbehandelten Zitrone
1 Eigelb
8 El Sahne
2 El Armagnac

Pro Portion ca. 629 kcal/2645 kJ
14 g E, 43 g F, 47 g KH

Aus Milch, Eiern, Salz und Mehl einen Pfannkuchenteig zubereiten, daraus in 60 g Butter Pfannkuchen backen. Restliche Butter und Zucker schaumig rühren.
Zitronensaft und -schale unter Rühren zur Butter-Zucker-Mischung geben. Anschließend Eigelb und Sahne verrühren und langsam unter die Mischung rühren. Armagnac ebenfalls unterrühren.

Passionsfruchtcreme mit Eis

1 Tl Maisstärke
Saft von 3 Orangen
4 El Zucker
1 Tl abgeriebene Schale von 1 Limette
6 halbierte Passionsfrüchte
30 g kalte Butter
400 ml Vanilleeis

Pro Portion ca. 428 kcal/1798 kJ
9 g E, 17 g F, 53 g KH

Maisstärke in 2 El Orangensaft anrühren. Restlichen Saft mit Zucker und Limettenschale in einen Topf geben und etwas einkochen lassen.
Mit einem Löffel Fruchtfleisch und Samen der Passionsfrüchte dazugeben, aufkochen, Maisstärke zufügen und Sauce andicken. Butter in Flöckchen unterrühren und zum Eis servieren.

Orangen-Wein-Sauce mit Eis

Saft von 4 Blutorangen
250 ml Rotwein
4 El brauner Zucker
1/2 Zimtstange
3 Nelken
4 Pimentkörner
Schale von 1 Orange in Streifen
1 Tl Reismehl
30 g Butter
400 ml Vanilleeis

Pro Portion ca. 323 kcal/1357 kJ
5 g E, 16 g F, 32 g KH

Orangensaft, Rotwein und Zucker mit den Gewürzen aufkochen und um ein Drittel einkochen. Gewürze entfernen. Schale kurz in kochendem Wasser blanchieren. Reismehl in etwas Saft anrühren, Sauce binden. Schale und Butter unterheben und zum Eis servieren.

Rum-Eiercreme mit Fruchsalat

500 g geputztes Obst,
z.B. Kiwi, Erdbeeren und Pfirsiche

4 Eigelb

4 El Zucker

8 El brauner Rum

Pro Portion ca. 175 kcal/736 kJ
5 g E, 8 g F, 16 g KH

Obst putzen, waschen und klein schneiden. Eigelbe mit Zucker im Wasserbad so lange schlagen (Wasser darf nicht kochen!), bis die Masse cremig ist.
Rum mit 125 ml Wasser mischen und langsam in die Creme rühren. Sofort servieren.

Kastaniencreme mit Waffeln

8 Waffelherzchen
4 Eigelb
125 g Zucker
250 ml Sahne
4 El Kastanienpüree
1 Tl Maraschinolikör
gehackte Pistazien zum Garnieren

Pro Portion ca. 688 kcal/2888 kJ
9 g E, 47 g F, 56 g KH

Eigelb mit Zucker im Wasserbad (nicht kochen!) schaumig schlagen. 125 ml Sahne zugeben und die Sauce cremig rühren.
Kastanienpüree darunter ziehen. Abkühlen lassen, restliche Sahne schlagen und mit Maraschino unterheben. Die Sauce über die Waffelherzen geben und mit Pistazien bestreut servieren.

Kirschsauce mit Schokoladeneis

500 g entsteinte Sauerkirschen
150 g brauner Zucker
100 ml Weißwein
1 Tl Puddingpulver (FP)
2 El Kirschwasser
(oder Kirschsaft)
400 ml Schokoladeneis

Pro Portion ca. 446 kcal/1874 kJ
5 g E, 11 g F, 77 g KH

Kirschen mit Zucker, Wein und 250 ml Wasser aufkochen und 10 Minuten köcheln.
Masse nach Belieben pürieren und mit Puddingpulver binden. Mit Kirschwasser oder -saft abschmecken und über das Schokoladeneis geben.

Nuss-Honig-Sauce mit Vanille-Flammerie

500 ml Milch
60 g Zucker
1 Pk. Vanillepuddingpulver
200 ml Ahornsirup
100 ml Sahne
1 El Cappuccinopulver
in 2 El kochendem Wasser aufgelöst
75 g gehackte Walnüsse (oder andere Nüsse)
2 El Kaffeelikör

Pro Portion ca. 526 kcal/2209 kJ
8 g E, 23 g F, 66 g KH

Milch, Zucker und Vanillepuddingpulver zu einer Flammerie kochen. In Förmchen kalt stellen und später stürzen.
Ahornsirup und Sahne aufkochen, anschließend etwa 5 Minuten dicklich einköcheln. Unter die abgekühlte Masse Cappuccino, Nüsse und Likör unterheben und über die Vanilleflammerie geben.

Parfait von Schokolade mit Orangensauce

250 ml Sahne
4 Eigelb
80 g Zucker
100 g Zartbitterschokolade
6 El Grand Marnier
4 unbehandelte Orangen

Pro Portion ca. 580 kcal/2436 kJ
8 g E, 34 g F, 51 g KH

Die Sahne in einer kalten Schüssel mit dem Schneebesen steif schlagen und kalt stellen. Eigelb mit 40 g Zucker cremig rühren.
Die in Stücke gebrochene Schokolade mit 2 El Grand Marnier in einem Topf bei mittlerer Temperatur unter Rühren schmelzen, dann unter die Eier-Zucker-Creme mischen. Abkühlen lassen und zuletzt die Sahne unterheben.
Die Schokoladenmasse in 4 kleine Förmchen füllen und die Oberfläche glatt streichen. Abgedeckt etwa 6 Stunden gefrieren lassen. Die Orangen schälen, die Filets herauslösen und den Saft auffangen. Den restlichen Zucker in einem Topf karamellisieren lassen, den Orangensaft zugeben und kochen, bis der Zucker aufgelöst ist.
Den restlichen Grand Marnier unterrühren. Die Sauce in eine Schale füllen und die Orangenfilets darin durchziehen lassen.
Vor dem Servieren die Förmchen kurz in heißes Wasser stellen. Dann auf eine Platte stürzen. Das Parfait mit Orangenfilets und Sauce servieren.

Ananas mit Schokoladen-Zabaglione

5 Eigelb
50 g Zucker
60 g Zartbitterschokolade
125 ml Marsala
1 Baby-Ananas

Pro Portion ca. 273 kcal/1145 kJ
6 g E, 15 g F, 23 g KH

Eigelb mit dem Zucker in einer Metallschüssel schaumig rühren.
Die Schokolade fein reiben und unter den Ei-Zucker-Schaum heben. Den Marsala hinzufügen.
Die Schüssel über kochendes Wasser in einen Topf stellen. Die Masse so lange mit dem Rührbesen schlagen, bis sie andickt. Darauf achten, dass die Zabaglione nicht kocht, sonst gerinnt das Eigelb.
Die Ananas in Stücke schneiden und mit der Schokoladen-Zabaglione anrichten. Nach Belieben garnieren und servieren

Mascarponecreme

400 g Mascarpone
2 Eigelb
50 g Puderzucker

Pro Portion ca. 425 kcal/1785 kJ
13 g E, 35 g F, 15 g KH

Mascarpone in eine Schüssel geben. Eigelb und den gesiebten Puderzucker zugeben und alles glatt rühren. Passt zu gedünsteten Äpfeln.

Mandarinensauce

1 gewürfelte Zwiebel
2 gehackte Knoblauchzehen
2 El Butter
25 g gemahlener Mohn
400 ml Gemüsebrühe
100 g Mandarinen
1/4 Bund gehackte Zitronenmelisse
2 El Orangensaft
3 El braune Grundsauce (von S. 9)
Salz
Zitronenpfeffer

Pro Portion ca. 116 kcal/488 kJ
2 g E, 9 g F, 6 g KH

Zwiebeln und Knoblauch in der erhitzten Butter andünsten. Mohn dazugeben. Alles mit Gemüsebrühe angießen und ca. 20 Minuten quellen lassen. Mandarinen schälen und unter die Sauce heben. Zitronenmelisse mit Orangensaft unter die Sauce rühren. Die Sauce mit der braunen Grundsauce andicken und mit Salz und Zitronenpfeffer abschmecken. Passt zu Buchweizenpfannkuchen.

Himbeersauce

100 g Himbeeren
75 ml Rum
3 El Zucker
250 ml Orangensaft
1/2 Bund Zitronenmelisse
50 g Schmand
4 El Himbeerbrand
1/2 unbehandelte Zitrone
3 El helle Grundsauce (von S. 8)
Zucker
Zitronenpfeffer

Pro Portion ca. 194 kcal/816 kJ
2 g E, 4 g F, 12 g KH

Himbeeren in Rum und Zucker marinieren. Anschließend abtropfen lassen. Orangensaft und die Einweichflüssigkeit in einem Topf erhitzen und die Himbeeren darin weich kochen. Mit der Zitronenmelisse pürieren. Mit Schmand, Himbeerbrand und Saft und Schale der Zitrone verrühren. Die Sauce mit der hellen Grundsauce andicken. Das Ganze mit Zucker und etwas Zitronenpfeffer abschmecken und zu Vollkornwaffeln servieren.

Kokossauce

250 ml Milch
165 ml Kokosmilch
3 El gehackte Pistazien
3 El Zucker
1 kleine Mango
Salz
Pfeffer
Curry
3 El helle Grundsauce (von S. 8)

Pro Portion ca. 186kcal/780 kJ
5 g E, 9 g F , 19 g KH

Milch und Kokosmilch in einem Topf erhitzen. Pistazien und Zucker unterrühren. Das Ganze ca. 20 Minuten köcheln lassen. Mango in Würfel schneiden und unter die Sauce heben. Etwas weich kochen lassen und mit Salz, Pfeffer und etwas Curry abschmecken. Die Sauce mit der hellen Grundsauce andicken. Dazu passt Wildreismischung.

Cappuccinosauce

400 ml Espresso
brauner Zucker
150 g Amarettini
50 ml süße Sahne
3El braune Grundsauce (von S. 9)

Pro Portion ca. 229 kcal/963 kJ
3 g E, 12 g F, 27 g KH

Espresso in einem Topf erhitzen. Mit etwas braunem Zucker verrühren. Amarettini, bis auf einen Rest zum Garnieren, hacken und unter den Espresso rühren. Sahne steif schlagen. Die Sauce mit der braunen Grundsauce andicken. Die Sahne unterrühren. Die Sauce zu süßem Milchreis und mit Amarettinis garniert servieren.

Register